DZIENNIK CWANIACZKA

ZEZOWATE SZCZĘŚCIE

W SERII:

Dziennik cwaniaczka • Rodrick rządzi

Szczyt wszystkiego • Ubaw po pachy

Przykra prawda • Biała gorączka

Trzeci do pary • Zezowate szczęście

Droga przez mękę • Stara bieda

Ryzyk-fizyk • No to lecimy • Jak po lodzie

Totalna demolka • Dziennik cwaniaczka. Zrób to sam!

WKRÓTCE:

Jeszcze więcej cwaniaczka!

PRZECZYTAJ TAKŻE:

Dziennik Rowleya. Zapiski chłopca o złotym sercu

DZIENNIK CWANIACZKA

ZEZOWATE SZCZĘŚCIE

Jeff Kinney

Tłumaczenie
Joanna Wajs

Nasza Księgarnia

Tytuł oryginału angielskiego: *Diary of a Wimpy Kid: Hard Luck*

First published in the English language in 2013 by Amulet Books, an imprint
of Harry N. Abrams, Inc., New York.

Original English title: *Diary of a Wimpy Kid: Hard Luck*

DLA CHARLIEGO

MARZEC

Poniedziałek

Mama zawsze powtarza, że przyjaciele przychodzą i odchodzą, a rodzina nigdy cię nie opuści. Cóż, jeśli to prawda, mam przechlapane.

No wiecie, kocham swoją rodzinę i tak dalej, ale wątpię, czy jesteśmy stworzeni do tego, żeby razem ŻYĆ. Może sytuacja ulegnie poprawie w przyszłości, kiedy będziemy się widywać tylko podczas świąt, to jednak nic pewnego.

W sumie dziwne, że mama ciągle wyskakuje z tymi „wartościami rodzinnymi", bo sama nieszczególnie się dogaduje z własnymi siostrami. Pewnie myśli, że jeśli będzie w kółko nas przekonywać, jak ważna jest rodzina, ja i moi bracia nie zmarnujemy swojej szansy. Ale na jej miejscu nie liczyłbym na to specjalnie.

Tak czy inaczej, mama wyraźnie chce mnie podnieść na duchu w związku z tą historią z Rowleyem. Gość był moim najlepszym kumplem, odkąd wieki temu zamieszkał w sąsiedztwie, jednak ostatnio nasze relacje bardzo się ochłodziły.

Poszło o DZIEWCZYNĘ.

Wierzcie mi, Rowley jest OSTATNIM facetem na ziemi, którego podejrzewałbym o takie rzeczy.

Zawsze sądziłem, że to JA ułożę sobie życie osobiste, a jemu wszyscy będą współczuć.

Pewnie powinienem być pod wrażeniem – w końcu Rowley znalazł kogoś, komu się podoba. Ale to jeszcze nie znaczy, że muszę SKAKAĆ Z RADOŚCI.

W starych dobrych czasach byliśmy jedynie my dwaj i robiliśmy, co tylko przyszło nam do głowy. Jeśli podczas lunchu w szkolnej stołówce mieliśmy ochotę puszczać bańki w mleku czekoladowym, nic nas nie mogło powstrzymać.

Teraz, gdy między Rowleya a mnie wepchnęła się dziewczyna, wszystko wygląda TOTALNIE inaczej.

Tam gdzie jest Rowley, nie może zabraknąć Abigail. A nawet jeśli przypadkiem jej NIE MA, człowiek czuje się tak, jakby BYŁA. W zeszły weekend zaprosiłem Rowleya na noc, żebyśmy mogli spędzić ze sobą trochę czasu. Jednak po jakichś dwóch godzinach przestałem udawać, że dobrze się bawię.

Kiedy ci dwoje są razem, robią się jeszcze BARDZIEJ nieznośni. Odkąd Rowley zaczął chodzić z Abigail, odnoszę wrażenie, że nie ma już WŁASNEGO zdania na żaden temat.

Miałem nadzieję, że szybko mu przejdzie i sytuacja wróci do normy, lecz na razie nic na to nie wskazuje.

Jeśli chcecie znać moją opinię, sprawy zaszły już ZA DALEKO. Zaczynam dostrzegać w Rowleyu pierwsze zmiany: inaczej się czesze, inaczej ubiera. RĘCZĘ wam, że za wszystkim stoi Abigail.

Ale to JA byłem przez lata jego przyjacielem, więc jeśli komuś wolno na niego wpływać, to tylko MNIE.

Kompletnie nie czaję bazy. Dziś jesteś czyimś superkumplem, jutro idziesz w odstawkę. A jednak takie są fakty.

Zimą Rowley i ja zamroziliśmy trochę śnieżek, żeby móc się nimi porzucać, kiedy przyjdzie wiosna.

No cóż, wczoraj mieliśmy pierwszy ciepły dzień od wieków, ale gdy dotarłem do domu Rowleya, on się na mnie wypiął.

Naprawdę staram się być miły dla Abigail, tylko że ONA zwyczajnie MNIE nie trawi. Odkąd spiknęła się z Rowleyem, próbuje wbić klin między nas.

Lecz gdy tylko poruszam ten temat, natrafiam na ścianę.

Powiedziałbym Rowleyowi coś do słuchu, ale NIE MOGĘ. Potrzebuję go, żeby jakoś przetrwać do końca roku szkolnego.

Angielskiego uczy mnie pan Blakely, który wymaga od uczniów, by stawiali w swoich pracach pochyłe litery. Na dłuższą metę ręka mi od tego odpada, więc odpalam Rowleyowi po herbatniku z masłem orzechowym za każdą przepisaną stronę.

A jeśli będę musiał zająć się tym SAM, pan Blakely zobaczy inny charakter pisma i doda dwa do dwóch.

Czyli jestem skazany na Rowleya, przynajmniej dopóki nie znajdę kogoś, kto ma identyczne pismo i słabość do herbatników z masłem orzechowym.

Ale największym problemem nie są prace domowe z angielskiego, tylko droga do szkoły. Kiedyś pokonywaliśmy ją razem, teraz jednak Rowley wystaje co rano pod domem ABIGAIL.

A to utrudnia mi życie z DWÓCH powodów. Po pierwsze: ja i Rowley mieliśmy pewną umowę, zgodnie z którą on odpowiadał za namierzanie psich kup na chodniku. Ten układ uratował mnie MNÓSTWO razy.

Jest w okolicy taki jeden brytan, strasznie cięty na mnie i Rowleya, więc przechodząc obok niego, musimy zachowywać maksymalną czujność. To naprawdę wredny rottweiler o imieniu Zadymiarz, który miał do niedawna zwyczaj nawiewać ze swojego podwórka i ścigać nas w drodze do szkoły.

Jego właściciel wreszcie się wykosztował na elektrycznego pastucha, żeby pies nie uciekał. Teraz Zadymiarz już nas nie goni, bo gdy tylko wystawi łeb poza podwórko, obroża kopie go prądem.

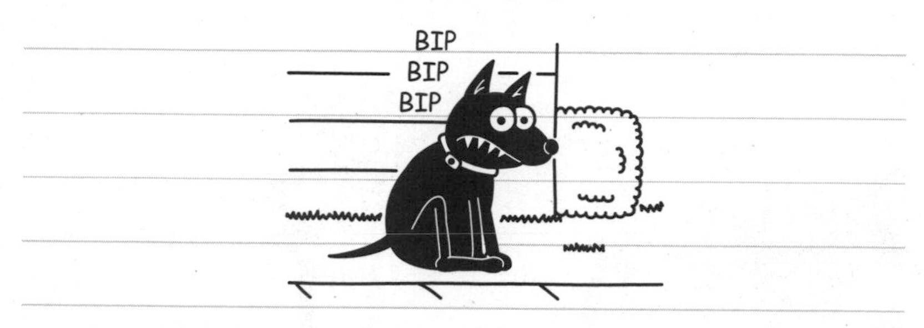

Kiedy odkryliśmy ten numer z elektryczną obrożą, skorzystaliśmy z okazji, żeby trochę się ponabijać.

Ale pies szybko wyczaił, że nic mu nie grozi, dopóki OBROŻA jest na terenie posesji.

I gdyby nie Rowley, na pewno w końcu bym wdepnął w którąś z min Zadymiarza.

Chodzenie do szkoły bez Rowleya ma jeszcze drugą złą stronę. Im bliżej końca roku, tym bardziej nauczyciele zawalają nas pracą domową.

To oznacza, że codziennie muszę targać ze sobą prawie wszystkie podręczniki.

Moje ciało nie zostało stworzone do dźwigania takich ciężarów, no a Rowley jest zbudowany niemal jak zwierzę juczne, więc dla NIEGO to pestka.

Niestety Rowley pomaga teraz Abigail z JEJ książkami, co każe mi podejrzewać, że ona najzwyczajniej go WYKORZYSTUJE.

Serce mi się kraje, kiedy na to patrzę.

Wtorek

Wpadłem na świetny pomysł, jak rozwiązać problem podręczników. Dziś rano pożyczyłem walizkę na kółkach, którą tata zabiera na wyjazdy, i w ogóle się nie zmachałem.

Miałem naprawdę znakomity czas, choć po części dlatego, że przy domu pana Sandovala wrzuciłem wyższy bieg.

Przed każdą zamiecią pan Sandoval wbija słupki w ziemię po obu stronach swojego podjazdu, żeby gość, który odśnieża, wiedział, gdzie jest chodnik.

Podczas ostatniej śnieżycy ja i Rowley wyrwaliśmy te słupki i zaczęliśmy się wygłupiać.

No i chyba nie wetknęliśmy słupków dokładnie tam, gdzie było ich miejsce, bo kiedy ten gość zaczął odśnieżać podjazd pana Sandovala, rąbnął się o jakieś trzy metry.

Pan Sandoval tylko czeka, żebyśmy się pokazali pod jego domem i dostali za swoje, ale ja jeszcze nie jestem gotowy na tę rozmowę. A już SZCZEGÓLNIE bez obstawy.

Na tym się jednak NIE kończą niebezpieczeństwa, jakie czyhają na mnie między domem a szkołą.

Odkąd na ulicy babci prowadzone są roboty budowlane, muszę po lekcjach wracać na okrętkę. Czyli obok lasku, którym trzęsą dzieciaki z klanu Mingów.

Szczerze mówiąc, niewiele o nich wiem. Nigdy nie widziałem żadnego z Mingów w szkole, no więc najwyraźniej mieszkają całą bandą w lesie, zupełnie jak dzikie zwierzęta.

Nie orientuję się nawet, czy w klanie są jacyś rodzice albo w ogóle dorośli. Słyszałem, że ich szefem jest chłopak o imieniu Meckley, który zawsze nosi podkoszulek i pas z gigantyczną metalową klamrą.

MECKLEY MINGO

Pewnego dnia ja i Rowley podeszliśmy za blisko, a wtedy jeden z Mingów wyszedł z lasku, żeby nas nastraszyć.

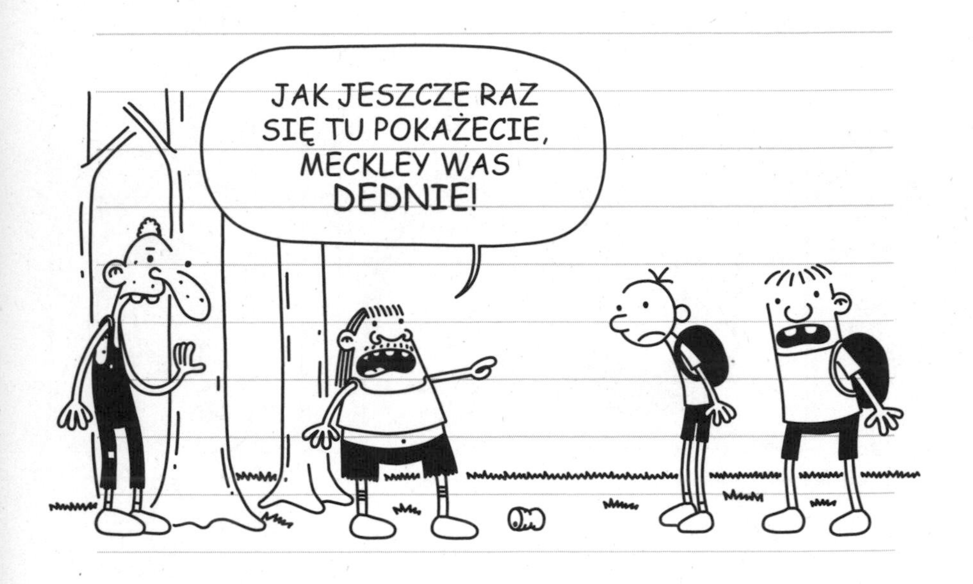

Nie całkiem zrozumiałem, o co mu chodziło, ale wolałem się nie dowiadywać, na wypadek gdyby miało to jakiś związek z klamrą przy pasie Meckleya.

Teraz, kiedy sam wracam do domu, przy lasku Mingów muszę przechodzić na drugą stronę ulicy. To niby nic takiego, tylko że tam nie ma chodnika, co nie może być dobre dla walizki taty.

Mama zauważyła, że ostatnio nie widuję się z Rowleyem. Powiedziała, że nie powinienem za bardzo się przejmować, gdyż większość przyjaźni z dzieciństwa nie wytrzymuje próby czasu. Oświadczyła też, że w przyszłości każdy z nas i tak by pewnie poszedł swoją drogą.

Oby się myliła, bo ja w dorosłym życiu zamierzam pielęgnować dawne znajomości. Inaczej nikt nie będzie wiedział, jak daleko zaszedłem.

Wątpię jednak, czy mama jest właściwą osobą do udzielania mi rad, bo męskie przyjaźnie OGROMNIE różnią się od dziewczyńskich. Wiem, co mówię. Czytałem prawie wszystkie książki z serii „Piżamówka z przyjaciółką".

Zanim wydacie na mnie wyrok i powiecie, że to seria dla DZIEWCZYN, coś wam wyjaśnię. Wciągnąłem się w nią tylko dlatego, że zapomniałem z domu własnej książki na zajęcia z cichego czytania, a nauczycielka nic innego nie miała. No a jak człowiek przeczyta chociaż JEDEN tom „Piżamówki z przyjaciółką", totalnie wsiąka i sięga po następny.

W serii jest pewnie ze sto książek. Trzydzieści pierwszych naprawdę trzymało poziom, ale coś mi się zdaje, że potem autorce zaczęło brakować pomysłów.

W każdym razie w tych książkach chodzi o to, że są dwie przyjaciółki, które zawsze się kłócą o głupoty.

Jednak zaraz potem emocje opadają i dziewczyny odkrywają prawdziwy sens przyjaźni.

I taka jest mniej więcej treść każdego tomu „Piżamówki z przyjaciółką". Cóż, nawet jeśli u DZIEWCZYN przyjaźń właśnie tak wygląda, z własnego doświadczenia mogę wam powiedzieć, że FACECI patrzą na te rzeczy ZUPEŁNIE inaczej.

Dla nas wszystko jest dużo prostsze. Załóżmy, że jakiś chłopak psuje coś, co należy do innego chłopaka, nie złośliwie, tylko przez przypadek. No i pięć sekund później nikt o tym nie pamięta.

Nie mam pojęcia, czy to dlatego, że jesteśmy mniej skomplikowani, ale WIEM, że nasze podejście do tematu oszczędza masę czasu i energii.

Piątek

Z przykrością muszę stwierdzić, że mama chyba miała rację co do mnie i Rowleya.

Gdy tylko Abigail została jego dziewczyną, usiadła w stołówce przy naszym stole, chociaż to miejsce chłopaków. Wspominałem już, że nie jest fanką puszczania baniek w mleku czekoladowym, ale ona nie lubi jeszcze MNÓSTWA innych rzeczy.

Jedna z nich to zasada pięciu sekund. Wszystkie chłopaki przy naszym stole zgadzają się co do tego, że jeśli ktoś upuści żarcie na podłogę, może je podnieść i zjeść, pod warunkiem że nie minęło pięć sekund.

Ostatnio ktoś wprowadził poprawkę do zasady pięciu sekund i teraz można podnieść jedzenie z podłogi, nawet jeśli upadło KOMUŚ INNEMU. W ten sposób straciłem już dwa ciastka z kawałkami czekolady i lody na patyku.

Nowa zasada wywołała różne komplikacje. Wczoraj Freddie Harlahan zeżarł plasterek szynki z podłogi, bo myślał, że upuścił go Carl Dumas. A tymczasem szynka leżała w tym miejscu od lunchu POPRZEDNIEJ grupy.

A może nawet DŁUŻEJ, bo Freddie źle się poczuł i resztę dnia spędził u szkolnej pielęgniarki.

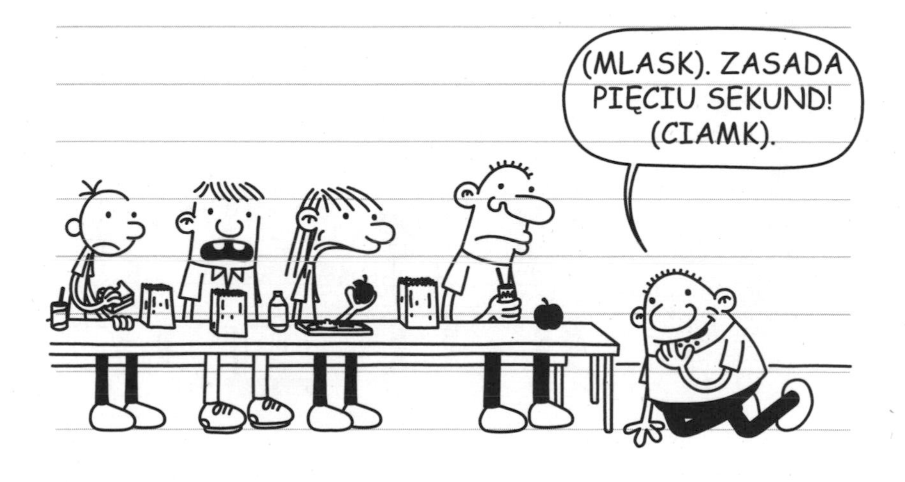

Coś mi mówi, że koleżanki Abigail nie znają tej zasady, podobnie zresztą jak POZOSTAŁE dziewczyny. Założę się też, że nie obchodzą Frytkowych Piątków.

W naszej stołówce w każdy piątek kucharka podaje burgery, ale mięso jest szare i smakuje jak mokra gąbka. A NA DODATEK dostajemy teraz do nich frytki ze słodkich ziemniaków, zamiast tych prawdziwych.

Mama Nolana Tiaga pracuje dorywczo w bibliotece, więc co piątek przynosi mu cheeseburgera i frytki z baru szybkiej obsługi na rogu.

Nolan zjada swoje frytki, zawsze jednak zostawia nam resztki z dna torebki. No i nieraz zdarzyło mi się widzieć, jak ludzie walczą na śmierć i życie o parę zimnych frytek.

Aby uniknąć rozlewu krwi, postanowiliśmy, że frytki muszą być dzielone sprawiedliwie, i sprowadziliśmy do tego celu Aleksa Arudę.

Kiedy Alex kroi frytki, reszta nie spuszcza z niego oczu, żeby przypadkiem którejś nie zachachmęcił.

Niektórzy pożerają swoją działkę od razu, ale ja mam inną strategię. Skubię każdą frytkę naprawdę powoli, żeby starczyło na dłużej.

Niezależnie od tego, ile frytek zostaje na dnie torebki, my nigdy nie mamy dość. Dziś były tylko TRZY, a musieliśmy obdzielić nimi dziesięciu chłopaków.

Kilku gości dało nawet Nolanowi po dziesiątaku, żeby tylko móc się porozkoszować jego frytkowym oddechem. I chyba właśnie wtedy Abigail zdecydowała, że poszuka sobie nowej miejscówki.

Przesiadając się, zabrała Rowleya. Ale JA mam to gdzieś, bo teraz wypada więcej frytek na głowę.

Abigail i Rowley usiedli przy Stole Zakochanych, jedynym, gdzie ciągle jeszcze są luzy. Po szkolnym balu walentynkowym niemal wszystkie pary z mojego rocznika zerwały ze sobą, no więc nie można narzekać na ścisk.

Powód, dla którego zakochani mają cały stół dla siebie, jest prosty. Nikt z nimi nie wytrzymuje. Za ŻADNĄ kasę nie byłbym w stanie patrzeć, jak Abigail dzień w dzień karmi Rowleya budyniem.

Gdy TYLKO Abigail i Rowley się zmyli, dwóch kolesi zajęło ich miejsca. W stołówce jest więcej chętnych niż krzeseł i ludzie muszą stać w kolejce.

Ten, kto na nic się nie załapał w pierwszym dniu szkoły, miał niefart. Niektóre dzieciaki czekają w ogonku od września i pewnie będą tak czekać aż do WAKACJI.

Wiem, że tym razem mi się poszczęściło, bo ci, którzy nie mają gdzie usiąść, są skazani na najdziwniejsze miejscówki.

Uczniowie w środku kolejki zaczynają tracić już nadzieję, więc część z nich odsprzedaje swoje udziały. Słyszałem, że Brady Connor opylił numer piętnasty Glennowi Harrisowi, który stał zaraz za nim, za pięć dolców i kanapkę lodową.

Na moje nieszczęście miejsca Abigail i Rowleya zajęli Earl Dremmell i jego brat bliźniak Andy. Earl i Andy mają wuef przed lunchem i tak samo jak ja tylko udają, że biorą potem prysznic.

Chociaż siedzę przy stole z całą masą gości, żadnego z nich nie nazwałbym PRZYJACIELEM. Bo kiedy zaczyna się przerwa, wszyscy rozłazimy się w różne strony.

DAWNIEJ spędzałem każdą przerwę z Rowleyem, ale to już przeszłość. Najwyższy czas, żebym machnął na niego ręką, tylko że zupełnie nie wiem, co miałbym ze sobą zrobić.

Zacznijmy od tego, że niektórych kolesi na boisku omijam szerokim łukiem.

Parę lat temu mama zaprosiła ludzi ze szkoły na moją imprezę urodzinową, jednak uznała, że mam już za dużo zabawek, i wymyśliła coś takiego:

ZAPROSZENIE

OKAZJA: urodziny Grega Heffleya

TERMIN: sobota, czwarta po południu

PS Gregory ma mnóstwo zabawek, więc jeśli chcesz przynieść mu jakiś prezent, sugeruję książkę!

Kiedy solenizant otwiera prezenty, inne dzieciaki na ogół okropnie mu zazdroszczą. Ale ludzie na MOIM przyjęciu chyba mi po prostu współczuli.

Niestety pomysł mamy podchwyciły POZOSTAŁE matki z sąsiedztwa, no i teraz muszę uważać, gdy widzę na przerwie gościa z nową książką w ręce.

A poza tym jest jeszcze Leon Feast i jego GANG. Miałem z nimi przejścia któregoś lata, więc nie pozostajemy w najlepszych stosunkach.

Pewnego dnia ja i Rowley chcieliśmy sobie pojeździć na rowerach po szkolnym boisku do koszykówki, ale Leon i jego ziomale zjawili się tam parę minut po nas.

Oświadczyli, że mamy spadać, bo oni chcą zagrać w kosza.

Zaproponowałem Leonowi, żebyśmy poszli na kompromis i podzielili się boiskiem po połowie. On jednak NIE był tym zachwycony i zaraz nas przegonił.

W drodze do domu wychodziłem z siebie na myśl, że daliśmy się tak potraktować. Chciałem COŚ z tym zrobić. Kilka dni później mama ni stąd, ni zowąd spytała, czy nie zapisałbym się do Akademii Szkolenia Superbohaterów. Pokazała mi ulotkę, a ja kompletnie odleciałem na jej widok.

NIE MOGŁEM się doczekać, aż zostanę absolwentem Akademii Szkolenia Superbohaterów i zrobię małe show specjalnie dla Leona i jego szajki.

Mama Rowleya TEŻ go zapisała i obaj byliśmy niesamowicie podjarani. Ale już pierwszego dnia odkryłem, że to jeden wielki przekręt.

Przede wszystkim Akademia Szkolenia Superbohaterów działała w sali gimnastycznej Związku Młodzieży Chrześcijańskiej, a nie w tajnym bunkrze pod budynkiem. A w dodatku cała ta historia z „supermocami" okazała się ściemą.

No więc Rowley i ja utknęliśmy na cały tydzień na tych półkoloniach. Mamy codziennie nas odwiedzały. A na koniec nie dostaliśmy nawet masek, kostiumów ani żadnych szałowych gadżetów, tylko te idiotyczne dyplomy.

Gregory Heffley

JEST

SUPERBOHATEREM,

gdyż

okazuje dobre maniery przy stole.

PAF!

Kilka tygodni później znowu pojechaliśmy pod szkołę na rowerach, a Leon i jego kumple oczywiście okupowali boisko. No cóż, mój błąd, bo nie wyjaśniłem wcześniej Rowleyowi, że nasze „szkolenie na superbohatera" było nic niewarte.

Oprócz typów, których muszę unikać, na przerwach natykam się jeszcze na różne grupki. Ale to chyba nie moja bajka.

Jedna ekipa gra w karcianki fantasy, druga po prostu siedzi i coś czyta. Jest też trzecia, która biega po boisku.

Parę miesięcy temu szkoła zabroniła wszelkich zabaw z piłką, bo za dużo dzieciaków robiło sobie krzywdę.

No więc ci goście wymyślili grę, w której czyjś BUT zastępuje piłkę. Nie pytajcie mnie, o co w tym chodzi.

Z kolei Erick Glick razem ze swoimi podejrzanymi kumplami podpiera ścianę za szkołą, bo tam nauczyciele nie mogą ich zobaczyć. Słyszałem, że jeśli ktoś chce kupić starą recenzję książki albo zadanie domowe, powinien się zwrócić właśnie do Ericka.

DZIEWCZYNY też trzymają się razem. Jedne skaczą na skakance z boku szkoły, inne grają w klasy piętnaście metrów dalej. Słyszałem, że oba obozy są w stanie wojny, ale nie mam pojęcia, o co im poszło.

Powiem wam, do jakiego składu NAPRAWDĘ chciałbym się przyłączyć. Do dziewczyn, które stoją przy drzwiach stołówki i obgadują wszystkich przechodzących.

Kiedyś nawet próbowałem podkraść się do nich jak gdyby nigdy nic, jednak dano mi odczuć, że to klub zamknięty i osoby z zewnątrz nie są mile widziane.

Jedynym miejscem JAKIEJKOLWIEK interakcji między dziewczynami a chłopakami jest boisko. Ktoś wpadł niedawno na pomysł berka, w którym dziewczyny gonią chłopaków, zabawy bardzo emocjonującej w czasach podstawówki.

Próbowałem załapać się na tę grę, ale większość dziewczyn ugania się tylko za POPULARNYMI chłopakami, takimi jak Bryce Anderson.

Od czasu do czasu rozlega się okrzyk odwracający zasady gry:

No i tak to się kręci, aż słychać dzwonek i wracamy do środka.

Jest jeden problem z tą zabawą. Nie wiadomo, co robić, kiedy naprawdę się kogoś DOGONI. Pamiętam, jak w piątej klasie złapałem Carę Punter – zgodnie z regułami sztuki.

Cara naskarżyła na mnie dyżurującej nauczycielce, no i oberwałem. Musiałem siedzieć do końca przerwy pod murem. Jestem też pewny, że zawiadomiono wtedy moich RODZICÓW.

Dyrekcja chyba zdała sobie sprawę, że niektórzy uczniowie mają kłopot z integracją podczas przerwy, bo parę tygodni temu pogotowie nauczycielskie, czyli punkt walki ze szkolnymi dręczycielami, zostało zastąpione przez tak zwany przystanek przyjaźni.

Z początku sądziłem, że ten sposób zawierania znajomości jest dobry dla frajerów, ale obecnie nie mogę być zbyt wybredny.

Nie mam pojęcia, czy to niebieskie światełko się zepsuło, czy może ludzie byli zbyt pochłonięci grą w berka – w każdym razie nikt się nie zjawił. Pan Nern chyba mnie pożałował, bo podszedł do przystanku przyjaźni z pudełkiem warcabów.

Cóż, lepszy rydz niż nic. Mam jednak nadzieję, że pan Nern rozumie sytuację. To był tylko jednorazowy incydent.

Środa

Dobra, prawdziwy KANAŁ jest wtedy, kiedy nawet twój mały braciszek ma więcej kumpli niż ty.

Niedawno na naszą ulicę wprowadziła się rodzina z dzieciakiem chodzącym do zerówki, niejakim Mikeyem, no i między nim a Mannym zaiskrzyło. Odkąd się poznali, są nierozłączni.

Mikey uwielbia sok winogronowy, a ja ani razu nie widziałem go bez lepkiej plamy wokół ust. Przypomina z nią czterdziestoletniego faceta z kozią bródką.

MIKEY

Mikey i Manny robią tylko jedną rzecz razem: oglądają telewizję.

O ile wiem, nigdy nie powiedzieli do siebie ani słowa, ale najwyraźniej pasuje im taki układ.

A naprawdę szczytem wszystkiego jest to, że mój DZIADEK ma dziewczynę. Nie przypuszczałem, że w jego wieku można się jeszcze umawiać na RANDKI. Cóż, pewnie byłem w błędzie.

Chyba nie powinienem się dziwić. Tata mówi, że w domu spokojnej starości jest dziesięć razy więcej staruszek niż staruszków, więc do drzwi dziadka dobija się mnóstwo pań próbujących go przekupić zapiekankami i ciastami.

Dziadek zaczął się umawiać z wdową o imieniu Darlene, a w zeszły weekend przyprowadził ją do nas na kolację.

To jakiś obłęd, że dziadek i Rowley znaleźli sobie dziewczyny w tym samym momencie.

Powiem tak: jeśli przyszłością świata ma być ich potomstwo, rasa ludzka jest w POWAŻNYM niebezpieczeństwie.

Wiem jedno. Nigdy nie powinienem był mówić mamie, jaką porażką jest moje życie towarzyskie, bo teraz się uwzięła, żeby znaleźć mi przyjaciół.

Wczoraj zaprosiła do nas swoją koleżankę z akademika, bo ona ma syna i mama uważa, że „znajdziemy wspólny język".

ZAPOMNIAŁA jednak powiedzieć, że syn tej koleżanki właśnie kończy LICEUM, no więc sytuacja była bardzo niezręczna.

Ostatnio mama radzi mi, jak nawiązać nowe znajomości w szkole.

Myślę, że ma dobre intencje, ale jej pomysły KOMPLETNIE się nie nadają dla ludzi w moim wieku. Na przykład twierdzi, że jeśli będę miły dla każdego, wieść szybko się rozniesie i raz-dwa zostanę najpopularniejszym dzieciakiem.

Może to się sprawdzało w czasach jej młodości, lecz obecnie nie ma racji bytu. Powtarzam mamie do znudzenia, że DZIŚ o czyjejś popularności decydują ciuchy i telefon komórkowy. Ona jednak nie chce tego słuchać.

Ostatnio dyrekcja szkoły wierzy w siłę „pozytywnego wzmocnienia", no więc z korytarzy znikają wszystkie plakaty z naszej kampanii przeciwko dręczycielom. Najwyraźniej były za mało pozytywne.

Teraz zamiast kar za znęcanie się nad innymi przewidziane są nagrody za UPRZEJMOŚĆ.

Działa to mniej więcej tak. Gdy nauczyciel zobaczy, że jesteś miły dla jakiegoś ucznia, dostajesz jeden punkt szlachetności.

Kiedy zbierzesz określoną liczbę punktów szlachetności, możesz je wymienić na nagrody, na przykład na nadprogramową przerwę.

A ten wychowawca, którego uczniowie otrzymają NAJWIĘCEJ punktów, ma prawo przyznać im w czerwcu dzień wolny od szkoły.

Moim zdaniem to uczciwe warunki, ale oczywiście zawsze znajdzie się ktoś, kto wszystko zepsuje. Ludzie od razu załapali, że wcale nie muszą zawracać sobie głowy dobrymi uczynkami. Zaczęli je po prostu UDAWAĆ, gdy jakiś nauczyciel pojawiał się na horyzoncie.

Punkty szlachetności są drukowane na specjalnych arkuszach po dziesięć, a nauczyciele je wydzierają, gdy chcą kogoś nagrodzić.

Erick Glick znalazł dojście do jednego z takich arkuszy i zrobił ksero, więc po szkole zaczęła krążyć cała masa fałszywek.

Erick sprzedawał podróbki po dwadzieścia pięć centów od sztuki, ale wtedy inni się połapali, że oni TEŻ mogą je kserować, no i po pewnym czasie w obiegu było już tyle punktów szlachetności, że za ĆWIERĆ DOLCA człowiek dostawał STO.

Nauczyciele nabrali podejrzeń, kiedy najwięksi kombinatorzy z mojej grupy zaczęli hurtowo wymieniać punkty na nadprogramowe przerwy.

W rezultacie szkoła ogłosiła, że wszystkie punkty szlachetności drukowane na białym papierze są nieważne, i wypuściła nową partię produkcyjną - ZIELONĄ. Zaraz potem rynek zalały jednak kserokopie na zielonym papierze i przestępczy proceder zaczął się od początku.

Za każdym razem gdy szkoła zmieniała kolor papieru, podróbki pojawiały się w ciągu dwudziestu czterech godzin. Aż wreszcie nauczyciele zaczęli karać dzieciaki, które wymieniały więcej niż pięć punktów naraz, bo był to dla nich dowód fałszerstwa.

Ale TA decyzja też okazała się niesprawiedliwa. Marcel Templeton, jeden z najsympatyczniejszych ludzi w mojej grupie, do końca miesiąca musi zostawać po lekcjach, chociaż całkiem legalnie wszedł w posiadanie swoich trzydziestu pięciu punktów.

Finał był taki, że woźny nakrył fałszerzy podczas operacji na wielką skalę, wchodząc przypadkiem po lekcjach do ich bazy w pracowni chemicznej.

Wtedy szkoła zlikwidowała całą tę akcję ze szlachetnością, no i to jest prawdziwa masakra, bo teraz, kiedy nie ma już mowy o nadprogramowej przerwie, nikomu nawet się nie śni być miłym.

Niedziela

Myślę, że mama wzięła sobie do serca to, co mówiłem o popularności, bo dzisiaj zabrała mnie na zakupy.

W normalnych okolicznościach NIE ZNOSZĘ kupowania ubrań, ponieważ robimy to tylko na początku roku szkolnego. Raz na rok tej atrakcji ZUPEŁNIE mi wystarczy.

Wiele nudnych rzeczy robiłem już w życiu, ale NIC nie wykańcza mnie bardziej niż kupowanie ubrań do szkoły.

Mama na ogół zabiera nas do tego sklepu w centrum o nazwie Gospodarny Gabriel. Ludzie, którzy go prowadzą, chyba dobrze rozumieją facetów, bo urządzili kącik, w którym panowie mogą posiedzieć, podczas gdy panie robią zakupy.

We wrześniu zeszłego roku mama zawiozła mnie i Rodricka do Gospodarnego Gabriela i sama wybrała nam ubrania. Niestety potem kompletnie o NAS zapomniała. Przejechała całą drogę do domu, zanim się zorientowała, że coś nie gra.

Spędziliśmy w Męskiej Strefie jakieś trzy godziny.

Dziś jednak byłem naprawdę PODEKSCYTOWANY. Dostałem dwie pary dżinsów i trzy koszulki, ale najbardziej podjarałem się BUTAMI.

Wszystkie do tej pory donaszałem po Rodricku, a gdy dostaję JEGO buty, najpierw muszę przez parę godzin zdrapywać gumę do żucia z każdej podeszwy.

Raz wyjątkowo trafiły mi się nówki sztuki. To było w czwartej klasie. Mama kupiła mi wtedy trampki na pierwszy dzień szkoły.

Powiedziałem jej, że w życiu nie słyszałem o marce Sportzterz, na co ona odparła, że to europejskie buty i „kosmiczna technologia". No więc byłem bardzo dumny, jadąc w nich do szkoły.

Ale na przerwie oba gumowe spody nagle odlazły. Zdenerwowałem się, a po powrocie do domu pokazałem trampki mamie, która oświadczyła, żebym się nie martwił, bo sprzedawca nam je wymieni.

No i wtedy się wydało, że kupiła buty w sklepie Wszystko za Dolara i że ta cała „kosmiczna technologia" to był pic na wodę.

Kiedy mama oznajmiła, że jedziemy dziś na zakupy, wolałem się upewnić, czy dobrze mnie zrozumiała. W grę wchodziło wyłącznie markowe obuwie.

Jednak decyzja wcale nie należała do łatwych. W sklepie było chyba z milion różnych modeli i najwyraźniej każdy nadawał się do czego innego.

Okazało się, że istnieją buty do pieszych wycieczek, buty do biegania, buty do jazdy na deskorolce i tak dalej.

Najpierw wpadła mi w oko para wypasionych trampek do gry w koszykówkę. Miały takie coś na podeszwach, co sprawia, że wyżej się skacze. Poważnie rozważałem tę opcję.

Ale w końcu się wystraszyłem, że jeśli je wezmę, w drodze do szkoły nie zdołam nad nimi zapanować.

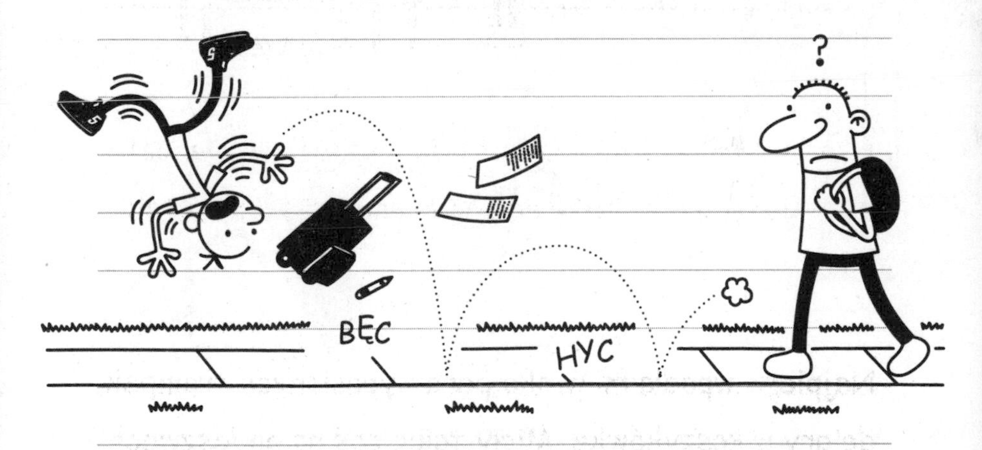

Potem zrobiły na mnie wrażenie zielone buty do „treningu ogólnorozwojowego". Wyglądały zajefajnie, jednak na pudełku było napisane, że są przeznaczone dla „zapalonych sportsmenów".

No więc na moich stopach chybaby się tylko marnowały.

Przez moment zastanawiałem się nawet nad butami na kółkach, żeby przy lasku Mingów rozwijać wyższą prędkość.

Wreszcie wybrałem trampki, które miały sportowy look, ale bez przegięcia. Mama zapytała, czy chcę w nich wracać do domu, nie było jednak MOWY, żebym wyświnił czymś nowe buty przed pokazaniem się w szkole.

Dzięki czemu przez całą drogę mogłem się rozkoszować ich świeżym fabrycznym zapachem.

Poniedziałek

Nigdy wcześniej nie zauważyłem, jaka BRUDNA jest ziemia. A właściwie nie tylko ziemia. Jezdnia i CHODNIK też.

Droga do szkoły to jakby pole minowe z błota, tłustych plam i innego syfu. Trzeba być wojownikiem ninja, żeby ominąć te wszystkie pułapki.

Prawdę mówiąc, gdy doszedłem do pierwszej przecznicy, wróciłem do domu i wciągnąłem na buty dwie plastikowe torby ze spożywczaka. Przez jakiś czas było zupełnie w porządku.

Ale niedługo później torby się porwały i już nie dawały ŻADNEJ ochrony, więc wyrzuciłem je do najbliższego śmietnika.

Potem dosłownie stawałem na głowie, unikając stref zagrożenia. Trzymałem się chodnika, w końcu jednak zrozumiałem, że w rowki na podeszwach włażą mi te małe kamyczki, których wydłubanie zajmuje całą WIECZNOŚĆ. Od tamtej pory starałem się stąpać jak najmniejszą powierzchnią buta.

Wreszcie dałem sobie spokój i po prostu poszedłem po trawie. Do szkoły dotarłem spóźniony o dwadzieścia minut, ale warto było, bo zadałem szyku.

Pech chciał, że mieliśmy właśnie kartkówkę z geografii, no więc musiałem nadrobić stracony czas i nadążyć za klasą.

Kilka minut później poczułem obrzydliwy smród. Najpierw myślałem, że to Bernard Barnson, bo gość na ogół nie pachnie za ciekawie.

Ten odór był jednak DUŻO gorszy. Przesiadłem się z rzeczami na koniec sali, żeby móc skupić myśli na kartkówce, lecz fetor PODĄŻYŁ za mną. I właśnie wtedy odkryłem jego PRAWDZIWE źródło.

Musiałem wdepnąć w psią kupę, kiedy szedłem przez trawę. I nawet wiem DOKŁADNIE, gdzie to się stało.

Zdjąłem but i ruszyłem w stronę biurka pani Pope, żeby wyjaśnić jej sytuację.

Ale ona chyba myślała, że chcę wykręcić się od kartkówki, bo tylko dała mi torebkę foliową na trampek i kazała wracać na miejsce.

Do tego czasu wszyscy zorientowali się, o co chodzi, i mieli ubaw po pachy.

Ja też uważam, że kupy są śmieszne, nie różnię się pod tym względem od reszty świata. Ale gdy SAM w nie włażę, nie jest już tak zabawnie.

Wiecie, kiedy najlepiej bawiłem się z Rowleyem? W Dzień Niepodległości, gdy jego rodzice zabrali nas do parku w środku miasta na pokaz ogni sztucznych. Przyjechaliśmy parę godzin wcześniej, żeby zaklepać sobie miejsce na koc.

Ja i Rowley odkryliśmy, że jeden z koni policyjnych narobił centralnie na główną ścieżkę i przez resztę wieczoru obserwowaliśmy reakcje ludzi, którzy próbowali nie wdepnąć w kupę.

Tak, to były dobre czasy, ale się skończyły.

A najbardziej wkurza mnie myśl, że gdyby wszystko wyglądało JAK DAWNIEJ, tego ranka szedłbym do szkoły z Rowleyem, który w porę podniósłby alarm.

No ale on oczywiście musiał znaleźć sobie dziewczynę, przez co JA tu niewinnie cierpię.

Ślady po klocku Zadymiarza były w całej klasie, więc wezwano pana Meeksa, żeby po mnie posprzątał. Myjąc podłogę, woźny wciąż rzucał mi krzywe spojrzenia, a ja w ogóle nie potrafiłem skupić się na kartkówce.

Na przerwie poszedłem do sekretariatu. Chciałem sprawdzić, czy mogliby mi jakoś pomóc. Sekretarka powiedziała, żebym zajrzał do kartonu ze znalezionymi rzeczami i poszukał sobie zastępczego buta, ale jedyne w tym pudle, co w miarę przypominało obuwie, było damskim kozaczkiem.

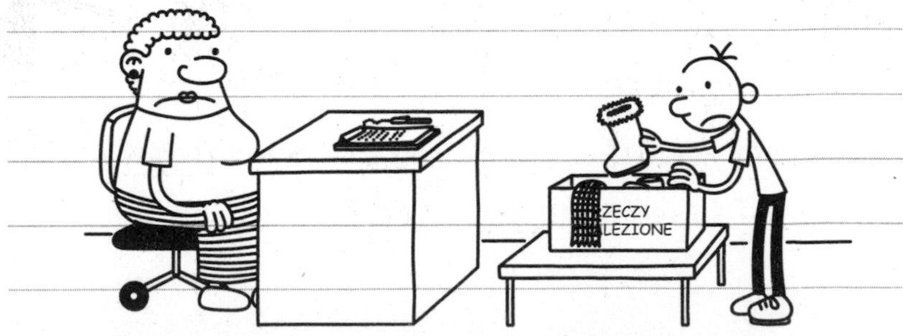

Właśnie wtedy z pokoju nauczycielskiego wyszedł pan Nern. Sekretarka spytała, czy nie ma jakichś butów na zbyciu. Pan Nern odparł, że owszem, trzyma parę na zmianę w swoim gabinecie i zaraz mi ją przyniesie.

Nie zwróciłem na to wcześniej uwagi, ale coś wam powiem. Pan Nern ma GIGANTYCZNE stopy. A ja mam nadzieję, że ta pożyczka nie zobowiązuje mnie do grania z nim w warcaby na każdej przerwie.

Środa

Teraz, kiedy nie włóczę się już po szkole z Rowleyem, mam DUŻO więcej czasu. Szybko jednak opanowałem pewną lekcję. Nigdy nie należy mówić własnej matce, że nie ma się nic do roboty.

No więc po lekcjach snuję się bez celu, żeby tylko uniknąć obowiązków domowych. Mama wciąż wbija mi do głowy, że powinienem zrobić pierwszy krok i poszukać nowych przyjaciół w sąsiedztwie, chociaż w tej okolicy naprawdę nie ma w czym wybierać.

Kilka domów w dół ulicy mieszkają chłopaki Laskych. ICH ulubiona rozrywka to rozbieranie się do gatek i zapasy w ogródku od frontu.

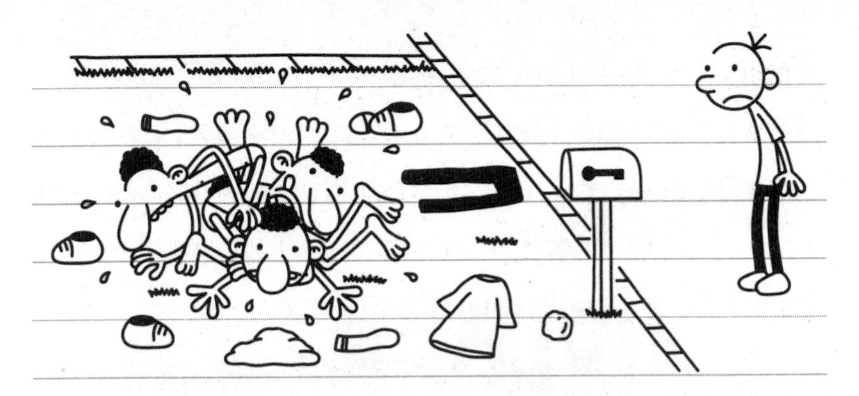

Po skosie mieszka niejaki Mitchell Flammer, który jest chyba o rok albo dwa lata młodszy ode mnie. Ale nie wiem nawet, jak on WYGLĄDA, bo nigdy nie widziałem go bez kasku motocyklisty.

Parę domów w dół ulicy po prawej stronie mieszka natomiast Aric Holbert, gość, którego trzy tygodnie temu zawiesili w prawach ucznia za włamanie do szkoły i akt wandalizmu.

Próbował wszystkiego się wyprzeć, jednak jego wysiłki były bezcelowe.

Jest jeszcze Fregley, który mieszka kilka domów w górę ulicy. Jeśli cokolwiek DOBREGO wynikło z mojej sytuacji w ostatnich tygodniach, to fakt, że nie muszę już przechodzić obok jego posesji w drodze do Rowleya.

Na moje nieszczęście mama od zawsze próbuje umówić mnie z Fregleyem. Mówi, że współczuje „temu samotnemu chłopcu".

Naprawdę wolałbym, żeby nie mówiła takich rzeczy, bo wtedy mam wyrzuty sumienia. A już wystarczająco FATALNIE wpływa na mnie widok Fregleya na boisku szkolnym.

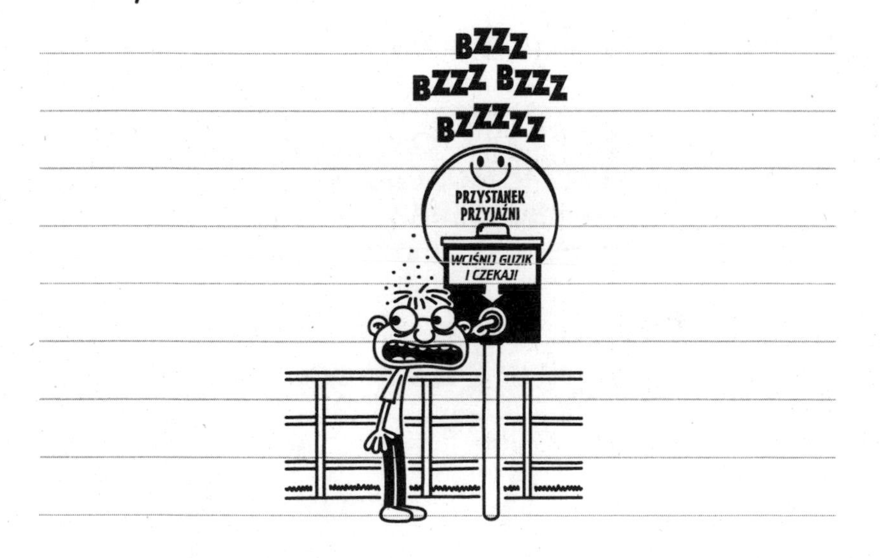

Dziś przemknęła mi przez głowę szalona myśl. Jeśli zakumpluję się z Fregleyem, będę mógł zrobić z niego DOKŁADNIE takiego przyjaciela, jakiego potrzebuję.

Mogę go po prostu nauczyć wszystkich tych rzeczy, które lubię w Rowleyu. No a Fregley może dorzucić od siebie coś EKSTRA.

Zauważyłem, że obok najpopularniejszych gości w szkole zawsze pałętają się jacyś dowcipnisie. Jednym z chłopaków w najbliższym otoczeniu Bryce'a Andersona jest Jeffrey Laffley i ZAPEWNIAM was, że Bryce trzyma go przy sobie tylko dla śmiechu.

Poza tym dziewczyn ABSOLUTNIE nie kręcą ci śmieszni faceci z drugiego planu, więc Fregley nie byłby dla mnie zagrożeniem.

Muszę tylko przekonać jakoś ludzi, że on robi zabawne rzeczy SPECJALNIE. Bo z nim to nigdy nie wiadomo.

Dzisiaj podczas lunchu odszukałem Fregleya i zaprosiłem go do naszego stołu. Był tak daleko w kolejce, że aż musiał siedzieć na korytarzu, pod drzwiami męskiej toalety.

Na szczęście Fregley jest bardzo chudy, więc daliśmy radę jakoś go upchnąć. Najpierw wyjaśniłem mu, co jak działa przy naszym stole, zaczynając od zasady pięciu sekund.

Właśnie mówiłem, w jaki sposób można wejść w posiadanie cudzego żarcia, kiedy Fregley rzucił się na czipsa ziemniaczanego w mojej ręce bez żadnego ostrzeżenia.

Dostałem szału i powiedziałem, że jeśli dalej zamierza zachowywać się idiotycznie, to niech od razu wraca na korytarz.

Dodałem, że ktoś musi UPUŚCIĆ jedzenie, zanim inna osoba po nie sięgnie. Chyba załapał i nawet próbował na swój sposób przeprosić, więc można uznać, że robi postępy.

Kiedy Fregley jadł lunch, zajrzałem do jego zeszytu, żeby się zorientować, czy ma dobre pochyłe pismo. Ale gdy zobaczyłem, co jest na pierwszej stronie, pożałowałem swojej ciekawości.

Po szkole zapytałem go, czy chce wracać razem ze mną do domu. Zaznaczyłem, że będzie musiał ostrzegać mnie przed psimi kupami i od czasu do czasu ciągnąć walizkę. Fregley wyglądał na uszczęśliwionego i w ogóle wszystko szło po mojej myśli.

Rzecz w tym, że straciłem czujność i zapomniałem przejść przez jezdnię przy lasku Mingów. No i zanim zdążyliśmy policzyć do trzech, goniła nas już cała zgraja.

Zdołaliśmy ich zgubić przy skrzyżowaniu z naszą ulicą, ale gdy Fregley oddał mi walizkę, okazało się, że jest prawie PUSTA.

Spytałem, co się stało z moimi książkami, a Fregley odparł, że je wyrzucił, kiedy uciekaliśmy przed klanem. Zapytałem, CZEMU to zrobił, i wiecie co? On miał nadzieję, że ci goście się zatrzymają i zaczną CZYTAĆ.

Cóż, ten pierwszy dzień był dość dramatyczny, ale Fregley to projekt długoterminowy. Muszę pamiętać, że nie zawsze będzie szło jak po maśle.

Czwartek

Rano mieliśmy iść razem do szkoły, jednak o ósmej trzydzieści Fregleya nadal nie było. No więc poszedłem pod jego dom i zapukałem do drzwi.

Nikt nie otwierał i już chciałem odpuścić, gdy nagle usłyszałem jakieś dźwięki. Zupełnie jakby kula do kręgli staczała się ze schodów. A potem drzwi się uchyliły i zobaczyłem Fregleya.

Powiedział, że kiedy się ubierał, przez pomyłkę wciągnął koszulkę do góry nogami i w niej utknął. To oznaczało, że JA muszę pomóc mu się wyplątać.

Z początku byłem nieco poirytowany, ale zaraz zdałem sobie sprawę, że to jedna z tych rzeczy, które inni ludzie mogą uznać za ZABAWNE.

A więc podczas lunchu zaprowadziłem Fregleya do jednego ze stołów dziewczyn i kazałem mu powtórzyć ten numer z koszulką.

Chyba jednak wybraliśmy nieodpowiedni stół, bo ŻADNA z dziewczyn nawet nie zachichotała.

Spytałem Fregleya, czy zna jakieś dowcipy, ale zaprzeczył. A gdy zasugerowałem, że może potrafi robić sztuczki, wyciągnął skądś kawałek gumy do żucia.

Potem zdjął koszulkę i wsadził sobie gumę do żucia w pępek. Nie wiedziałem, jak sytuacja się rozwinie, więc na wszelki wypadek zrobiłem parę kroków do tyłu. A wtedy on, bez kitu, nagle zaczął ją ŻUĆ.

Nie mam pojęcia, czy zrobił wrażenie na dziewczynach. Mnie w każdym razie opadła szczęka. Chwilę później powiedział, że zaraz puści BALONA, a to było coś, czego NIE MOGŁEM przegapić.

Powinienem był jednak wiedzieć, że puszczenie balona pępkiem jest fizyczną niemożliwością.

Wieść o talentach Fregleya obiegła stołówkę i przez resztę lunchu niemal każdy chłopak w mojej grupie chciał zobaczyć, co JESZCZE umie żuć jego pępek.

Prawdę mówiąc, zrobił się taki ścisk, że nie miałem gdzie usiąść.

No więc kiedy Fregley świętował swoje pięć minut sławy, ja jadłem lunch na korytarzu.

To pokazuje, że dla niektórych nie warto być miłym, bo i tak człowieka spotka tylko czarna niewdzięczność.

Piątek

Po ostatnich wydarzeniach nie mogłem się już doczekać wiosennej przerwy świątecznej. NAJLEPSZYM balsamem na wszystkie moje rany byłby tydzień spędzony we własnym towarzystwie.

Ale dzisiaj wieczorem plan tygodnia wolnego od stresu wziął w łeb. Kiedy tata zapytał mamę, co będziemy robić w Wielkanoc, ona odparła, że przyjadą jej krewni.

Byłem TOTALNIE zaskoczony tym niusem. Tata chyba zresztą też.

Mama NIGDY nie mówi, kiedy jej rodzina się tutaj wybiera, bo wie, że gdyby ostrzegła nas zbyt wcześnie, dalibyśmy drapaka.

Większość krewnych ze strony mamy mieszka dość daleko, więc nie widujemy się zbyt często. A ja nie mam nic przeciwko temu. Po ich odwiedzinach potrzebuję DUŻO czasu, żeby dojść do siebie.

Zapewne mnóstwo rodzin boryka się z jakimiś problemami, ale ta zawsze potrafi wywołać burzę w szklance wody.

Mama i jej cztery siostry są zupełnie różne. Wręcz wydaje się niemożliwe, by dorastały pod jednym dachem.

Najstarsza z sióstr mamy, ciocia Cakey, nie ma męża ani dzieci. To raczej dobrze, bo jest oczywiste, że małolaty działają jej na nerwy.

Pewnego razu, kiedy byłem mały, ciocia Cakey przyjechała do nas w odwiedziny, a mama musiała gdzieś wyjść i zostawiła mnie pod jej opieką. Nie sądzę jednak, aby ciocia kiedykolwiek wcześniej znalazła się sam na sam z jakimś dzieckiem, bo wyglądała na roztrzęsioną.

Chyba myślała, że zaraz coś zepsuję, więc najpierw usunęła z mojego zasięgu łatwo tłukące się przedmioty. Potem po prostu stała, nie spuszczając ze mnie wzroku, aby mieć pewność, że niczego nie dotykam.

Po jakiejś godzinie powiedziała, że pora na drzemkę. Próbowałem jej wyjaśnić, że jestem już za duży na drzemki, lecz ona odparła, że to niegrzecznie pyskować dorosłym.

Dodała, że będzie prasować w pralni na dole i że za parę godzin przyjdzie mnie obudzić.

Później zgasiła światło, a zanim zamknęła drzwi, oznajmiła:

Sam w życiu bym nie wpadł na to, żeby dotykać żelazka, ale przez ciocię Cakey ta myśl nabrała dla mnie nieodpartego uroku. Tak oto pół godziny później zakradłem się na dół jak złodziej.

Ciocia Cakey była w salonie i oglądała telewizję. Musiałem przemknąć obok niej, żeby dostać się do pralni.

Wszedłem do środka, odszukałem stołeczek, którego mama używa, gdy nie może czegoś dosięgnąć, a potem przycisnąłem całą dłoń do żelazka.

Nie pytajcie mnie, CO ja sobie myślałem. W każdym razie doznałem poparzeń drugiego stopnia, a mama już nigdy nie poprosiła Cakey o opiekę nad nami. Ku ogromnej ULDZE cioci, jak przypuszczam.

Najmłodsza siostra mamy, ciocia Gretchen, jest absolutnym PRZECIWIEŃSTWEM cioci Cakey. Ma dwóch synów, TOTALNIE rozwydrzone bliźnięta Malvina i Malcolma. Prawdę mówiąc, ci goście są tak nieobliczalni, że swego czasu ciocia Gretchen trzymała ich na smyczy.

Podczas jednej z wizyt ciocia Gretchen i jej dzieciaki przywieźli ze sobą ZWIERZĘTA. Nasz dom zamienił się wtedy w zoo.

Ciocia Gretchen wybyła na kilka dni, żeby pozwiedzać okolicę, a my musieliśmy zająć się dziećmi ORAZ zwierzakami. Jednak kompletnie straciliśmy kontrolę nad sytuacją, kiedy na dwa dni przed powrotem cioci okocił się jej królik.

Tata nie był zachwycony. Ciocia Gretchen powiedziała nam przed wyjazdem, że ten królik to CHŁOPCZYK.

Od biedy mogę jakoś wytrzymać z czworonogami cioci Gretchen, ale jej synowie to INNA para kaloszy.

Podczas tamtej wizyty Malvin i Malcolm bawili się na naszym podjeździe. Grali w gorącego ziemniaka jakimś dużym kamieniem, kawałkiem betonu czy czymś podobnym.

Przyznaję, zrobiłem w życiu sporo durnych rzeczy, nie sądzę jednak, żebym kiedykolwiek się zniżył do TAKIEJ głupoty.

Nim zdążyliśmy się zorientować, mama już wiozła Malvina na ostry dyżur, żeby założyli mu szwy na czole. My w tym czasie mieliśmy przypilnować Malcolma.

Ale gdy mama pojechała, Malcolm jakoś zdołał namierzyć przybory do golenia taty. Kiedy go znaleźliśmy, było za późno na ratunek.

Tata oświadczył, że jeśli ciocia Gretchen i jej synowie zostaną z nami dłużej, on wyprowadza się do hotelu. Lecz mama odpowiedziała, że jesteśmy rodziną, a rodzina musi trzymać się RAZEM.

Tylko jedna osoba NIE przyjedzie w tym roku na Wielkanoc. To ciocia Veronica. Nie była na żadnej uroczystości rodzinnej od jakichś pięciu lat, a przynajmniej nie OSOBIŚCIE. Myślę, że te spędy okropnie ją stresują i dlatego uczestniczy w nich poprzez wideokonferencje.

W sumie nie sądzę, żebym ją widział w realu, odkąd skończyłem trzy albo cztery latka.

Pewnego lata byliśmy gośćmi na czyimś ślubie. Ceremonia pod gołym niebem trwała ze dwie godziny, z nieba lał się ukrop, a ja podpatrzyłem, że ciocia Veronica cały czas gra sobie w gry wideo.

Ostatnią siostrą mamy, o której dotąd nie wspomniałem, jest ciocia Audra. To jedna z tych osób, które wierzą w kryształowe kule, horoskopy i inne takie. Nie podejmuje ŻADNEJ decyzji, zanim nie poradzi się swojej wróżki.

Wiem to z pierwszej ręki, bo w któreś wakacje spędziłem u niej dwa tygodnie.

Kiedy mama odkryła, że ciocia Audra zabrała mnie do wróżki, nie była zadowolona. Stwierdziła, że to całe przepowiadanie przyszłości jest zwykłym nonsensem i że ciocia Audra wyrzuca pieniądze w błoto.

Ale ja PRZECZUWAŁEM, że powie coś w tym rodzaju.

Nie wiem, jaką trzeba skończyć szkołę, żeby zostać wróżką, ale jeśli nie musiałbym się specjalnie narobić, poważnie rozważę tę ścieżkę kariery.

Jestem nieco zaskoczony, że mama tak niepochlebnie wyraża się o jasnowidzach, bo przecież sama zawsze mówi, że nasza babcia ma SZÓSTY ZMYSŁ.

Cóż, jeśli to prawda, babcia marnuje swój potencjał.

Będę z wami szczery. Sam nie wiem, czy wierzę w te rzeczy. Mogę tylko powiedzieć, że NIGDY mi nie pomogły.

Kiedy miałem osiem lat, pojechaliśmy na biwak. Po drodze zatrzymaliśmy się w sklepie z pamiątkami i różnymi durnostojkami.

Tata dał mi trzy dolary, a ja kupiłem za nie króliczą łapkę, która miała przynosić szczęście.

Wszystko pięknie, tylko że na tej wycieczce dorobiłem się zatrucia pokarmowego ORAZ skręconej kostki. No więc wyrzuciłem tę króliczą łapkę, gdy tylko nadarzyła się okazja.

W sumie źle się czułem, trzymając ją przy sobie. Zrozumiałem, że jeśli wygram dzięki niej w totka albo coś w tym guście, moją radość już zawsze będą zatruwać wyrzuty sumienia.

Gdy tata zostawia gazetę na kuchennym stole, czytam swój horoskop. Ale nie znajduję w nim żadnych PRAKTYCZNYCH informacji.

> *Kiedy Saturn wejdzie w koniunkcję z Jowiszem, strzeż się nieznajomego przynoszącego złe nowiny. Osoba, do której niegdyś pałałeś uczuciem, kocha cię z oddali. Twoje szczęśliwe liczby to 1, 2, 4, 5, 7 i 126.*

Ciasteczka z wróżbą są JESZCZE większą głupotą. Kiedyś w Wigilię chodziliśmy do chińskiej restauracji w centrum, a ja byłem podekscytowany tym, że poznam swoją przyszłość.

Ale ostatnim razem trafiło mi się coś takiego:

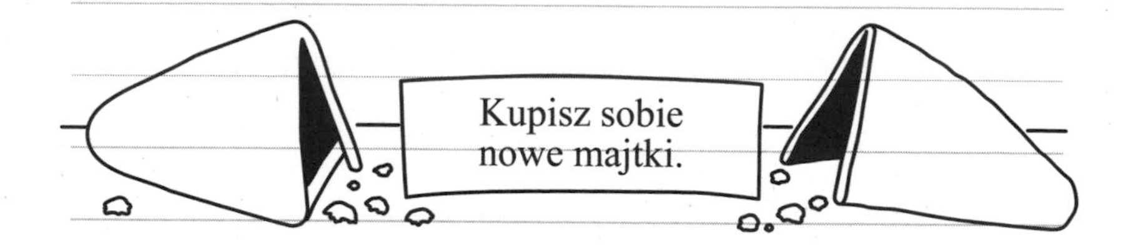

Ktokolwiek TO napisał, naprawdę się NIE wysilił.

Widzicie, ja potrzebuję KONKRETNYCH wskazówek. Do tej pory sam podejmowałem wszystkie decyzje i skutki są opłakane.

Środa

Do niedawna CIESZYŁEM SIĘ na przyjazd krewnych, bo to oznaczało zastrzyk łatwej gotówki.

Któregoś roku, gdy rysowałem przy stole w kuchni, mama powiedziała, że powinienem zacząć sprzedawać swoje dzieła rodzinie.

Pomysł okazał się GENIALNY. Szkicowałem jakiś domek albo żółwia i z palcem w nosie opylałem obrazek za pięć dolców.

W tygodniach poprzedzających ważne wydarzenia rodzinne pracowałem tak szybko, że kiedy krewni się zjeżdżali, miałem na sprzedaż całą górę rysunków. W któreś Święto Dziękczynienia zarobiłem osiemdziesiąt dolarów.

Z taką łatwością przekuwałem sztukę w pieniądze, że miałem nadzieję robić to do końca życia.

Ale kiedy trochę podrosłem, ci sami krewni, którzy wcześniej rozdrapywali moje rysunki jak świeże bułeczki, już nie tak chętnie wyskakiwali z kaski.

Nadal nie wiem, czy to dlatego, że zbyt często nagabywałem tych samych ludzi, czy raczej dlatego, że podwoiłem stawki.

Ale kiedy Manny zaczął sprzedawać SWOJE obrazki, nagle wszyscy moi krewni przemienili się w żywe bankomaty.

Pozwólcie, że coś wam powiem. Kiedy ja rysuję, wkładam w to mnóstwo czasu i wysiłku. Manny natomiast bazgrze piętnaście bohomazów na minutę i nie pytajcie nawet, co MIAŁYBY one przedstawiać, bo nie wiem.

Cóż, to dowodzi, że niektórzy ludzie kompletnie nie znają się na sztuce.

<u>Czwartek</u>

W tym roku znów spędzamy Wielkanoc u babci, co uważam za niefart, bo jej dom trudno uznać za przyjazny dzieciom. Jest tam tylko jedna rzecz Z GRUBSZA przypominająca zabawkę, a mianowicie pluszowy słoń imieniem Słonko.

Babcia kupiła Słonko, żeby pies Słodzik, którego jej oddaliśmy, miał coś do memłania.

Ale on odgryzł Słonku trąbę, uszy i łapy jeszcze pierwszego dnia i teraz nikt by nie zgadł, że patrzy na słonia.

I to już wszystkie rozrywki w domu babci. A w końcu ile się można bawić jakimś pluszowym kręglem?

Nie byłoby aż tak nudno, gdyby Słodzik nadal miał chęć do ZABAWY. Ale babcia tak go utuczyła karmą dla zwierząt i resztkami ze stołu, że bardziej niż psa przypomina piłkę plażową z nóżkami.

CO GORSZA, ona go ubiera, jakby był człowiekiem, więc pewnie biedak złapał niezłego doła.

Za każdym razem gdy jemy obiad u babci, próbujemy go trochę rozruszać.

Pewnego wieczoru odkryliśmy, że kiedy śpi, wystarczy po cichu podejść do niego od tyłu i wydać odgłos, jakby ktoś puścił bąka. Od razu się budzi i strzyże uszami.

Potem przez pięć minut wącha sobie zadek, aż wreszcie znowu zasypia.

Ja i Rodrick powtarzamy ten numer bez końca, z NIEZMIENNYM efektem. Ale kiedy tata też postanowił spróbować, zaliczył TOTALNĄ wtopę.

Chociaż dom babci jest nudny, do niedawna w święta mieliśmy niezły ubaw. Gdy jeszcze żyła nasza prababcia Busia, zawsze organizowaliśmy polowanie na wielkanocne jajka.

BUSIA

Busia była mamą babci. Bez obrazy, lecz jeśli kiedyś dorobię się prawnuków, to JA zdecyduję, jak mają do mnie mówić, nie ONE.

I w ogóle wybiorę sobie coś klasycznego, jak „dziadek" albo „dziadzio", bo nie chcę do końca życia się męczyć z jakimś debilnym zdrobnieniem.

Jestem pewny, że mój pradziadek wolałby inną ksywkę, ale ma jakieś dziewięćdziesiąt trzy lata, więc już za późno, by cokolwiek zmieniać.

Tak czy inaczej, Busia była osobą odpowiedzialną za umieszczanie nagród w plastikowych jajkach. Wkładała do środka słodycze i drobniaki, jednak od czasu do czasu trafiał się też banknot pięciodolarowy.

Potem ukrywała nagrody w domu i ogrodzie babci.

Po wielkanocnym drugim śniadaniu dzieciaki wybiegały na dwór i czekały na znak, żeby zacząć napychać koszyki.

Busia nie znała umiaru i ukrywała DUŻO więcej jajek, niż było trzeba. Zresztą założę się, że nawet DZISIAJ moglibyście pójść do ogrodu mojej babci i wypełnić koszyk po brzegi.

Sam czasem na coś natrafiam – w szafce albo między poduszkami na kanapie. Parę tygodni temu babci popsuła się toaleta i tata znalazł w rezerwuarze różowe plastikowe jajko. Prawdopodobnie pływało tam sobie całe LATA.

Na starość Busia nieco zdziwaczała. A wtedy w jajkach zaczęły lądować zwariowane nagrody.

W któreś święta upolowałem fasolkę szparagową, zakrętkę od butelki i spinacz biurowy. W tym samym roku Manny znalazł nić dentystyczną.

Cóż, z doświadczenia mogę wam jeszcze powiedzieć, że używana papierowa chusteczka wydaje w plastikowym jajku DOKŁADNIE taki sam dźwięk jak banknot pięciodolarowy.

Nasze ostatnie wielkanocne polowanie na jajka odbyło się w roku śmierci Busi. A podczas pogrzebu mama zauważyła, że prababcia nie ma swojej obrączki z diamentem.

Wszyscy wpadli w popłoch, bo ta obrączka była w rodzinie od trzech pokoleń i najwyraźniej jest bardzo cenna.

Po ceremonii moi krewni poszli do domu spokojnej starości, gdzie mieszkali pradziadkowie, i niemal zrównali go z ziemią, ale nie znaleźli pierścionka.

Potem zrobiło się naprawdę niefajnie. Cioteczna babka Beatrice oskarżyła swoją siostrę, cioteczną babkę Marthę, o kradzież. A wtedy ciocia Gretchen oświadczyła, że Busia obiecała pierścionek JEJ, więc uczciwy znalazca natychmiast ma go oddać prawowitej właścicielce.

I ani się nie obejrzeliście, jak wszyscy zaczęli skakać sobie do gardeł.

Taki był finał naszej ostatniej rodzinnej uroczystości. Pewnie dlatego od tamtej pory nie spotkaliśmy się w tym samym gronie.

Mama mocno przeżyła biżuteryjną aferę. Oświadczyła, że wolałaby, aby NIKT nie odnalazł obrączki Busi, bo TO byłby koniec tej rodziny.

Cóż, jeśli koniec miałby oznaczać, że nigdy więcej nie zobaczę cioci Gretchen ani jej dzieciaków, jestem za.

Niedziela

Skoro już mowa o świętach, od Wielkanocy zdecydowanie wolę Gwiazdkę.

W Boże Narodzenie zaraz po przyjściu z kościoła można zacząć się relaksować.

Natomiast w Wielkanoc przez cały dzień trzeba łazić w odświętnych ciuchach, przynajmniej U MNIE w domu. Dziś z kościoła pojechaliśmy prosto do babci. Mój krawat JUŻ WTEDY doprowadzał mnie do obłędu.

Byłem zdenerwowany, bo myślałem, że znów zacznie się kłótnia, która wybuchła po pogrzebie Busi. Kiedy jednak przekroczyliśmy próg, wyglądało na to, że ludzie nie żywią do siebie urazy.

Zawsze czuję pewien dyskomfort, wchodząc do pokoju, w którym kłębi się moja rodzina. Niby widuję krewnych raz albo dwa razy do roku, ale jest ich tak wielu, że nawet nie mogę spamiętać IMION. Natomiast wydaje się, że oni wiedzą o mnie WSZYSTKO.

Zwykle próbuję szybko przepchnąć się przez tłum w przedpokoju i znaleźć sobie jakiś cichy kącik.

Manny ma własną strategię podczas rodzinnych spędów. Udaje, że nie umie mówić. Przyznaję, trochę mu zazdroszczę. I żałuję, że sam na to KIEDYŚ nie wpadłem.

Sądziłem, że niedużo osób się zjawi po akcji z obrączką, ale, co dziwne, w tym roku jest ich jeszcze więcej.

Poza stałym składem, czyli ciociami i wujkami, którzy są na każdej imprezie, zauważyłem też kuzynów mamy.

Kuzyn Gerald przyjechał aż z Kalifornii. Podobno po moim urodzeniu mieszkał z nami przez parę miesięcy. Wolałbym jednak, żeby nie przypominał mi o tym za każdym razem, kiedy się spotykamy.

Wypatrzyłem też kuzynkę Martinę, która nie była na żadnej uroczystości rodzinnej, odkąd zbiła fortunę w Las Vegas.

Z tego, co słyszałem, pewnego dnia jadła śniadanie w bufecie hotelu w Vegas, kiedy nagle dostrzegła drugi bufet na wprost, a w nim nieliche wyżerkę.

Gdy jednak rzuciła się w tamtą stronę, szybko odkryła, że NIE MA żadnego drugiego bufetu.

To było po prostu gigantyczne LUSTRO.

Martina złamała obojczyk i pozwała hotel, więc to porsche, które zaparkowało na podjeździe babci, musiało należeć do niej.

Na imprezie pokazał się także wujek Larry. Choć chyba nie jest z nikim z nas spokrewniony, ktoś go kiedyś zaprosił, no i tak już zostało.

Wujek Larry jest w porządku i w ogóle, ale zawsze okupuje najlepszy fotel w salonie i nie rusza się z niego aż do końca przyjęcia.

Siostry babci też odwiedziły ją w tym roku, chociaż się NIENAWIDZĄ. W każdą Gwiazdkę dają sobie prezenty, jednak chyba tylko po to, żeby się przekonać, która wymyśliła bardziej obraźliwy podarunek.

W Wielkanoc w domu babci człowiek ma trzy sposoby na spędzenie czasu. Albo może siedzieć w salonie i oglądać golf z facetami, albo plotkować w kuchni z kobietami, albo dołączyć do bandy smarkaczy na dole.

Żadna z tych opcji specjalnie mnie nie rajcuje, więc po prostu zamykam się w łazience i siedzę tam, aż zawołają nas do stołu.

Główny punkt Niedzieli Wielkanocnej u babci to drugie śniadanie. Dawniej cała rodzina siadała przy długim stole w jadalni, ale teraz, gdy jest nas więcej, dorosłych i dzieciaki rozdzielono. Starzy zostali w jadalni, a małolaty przeniosły się do kuchni.

Jestem zadowolony z tej zmiany, bo kiedy wszyscy siedzieliśmy razem, zwykle lądowałem obok kogoś, kto interesował się moim życiem BARDZIEJ niż ja sam.

W dodatku mama zmuszała mnie do jedzenia różnych paskudztw. Zawsze chce, żebym spróbował jej sałatki ziemniaczanej - co nawet może bym zrobił, gdyby tylko nie podawała jej w misce, której używa, kiedy chorujemy na grypę.

Nie lubię jadalni babci, bo panuje tam OKROPNIE oficjalna atmosfera i wszyscy zachowują się drętwo.

Kilka lat temu Usiowi przez całe drugie śniadanie zwisała z ust fasolka szparagowa. Już samo to było komiczne, ale kiedy wpadła mu do szklanki z wodą, musiałem parsknąć śmiechem.

Myślałem, że WSZYSCY się roześmieją, jednak nic z tego. Tata spiorunował mnie wzrokiem, a ja odniosłem wrażenie, że powinienem przestać się wychylać i po prostu jeść dalej szynkę.

Od tamtej pory, gdy podczas posiłku w jadalni zdarza się coś zabawnego, walczę ze sobą, by nie zachichotać. Szczypię się w udo albo naprawdę mocno przygryzam wargę, ale czasami nawet TO nie wystarcza.

Którego roku Uś miał zdmuchnąć świeczki na swoim torcie urodzinowym i wyleciała mu sztuczna szczęka.

Tak rozpaczliwie powstrzymywałem się od śmiechu, że omal mi nie strzeliła jakaś żyłka albo gałka oczna.

Poza tym DOPIERO CO pociągnąłem spory łyk mleka czekoladowego i bardzo się starałem nie opluć talerza.

Próbowałem myśleć o czymś szalenie smutnym, ale przyszedł mi do głowy tylko Słodzik w swoim małym sweterku. A to przypomniało mi coś jeszcze... no i już było po mnie.

W sumie, jak dobrze się zastanowić, to chyba tamten incydent podsunął dorosłym myśl, żeby przenieść dzieciaki do kuchni.

Nie do końca rozumiem przyjęte kryteria, bo taki na przykład wujek Cecil nie został wcale wyproszony z jadalni. Pewnie wam się WYDAJE, że to dorosły facet, lecz w rzeczywistości ma jakieś trzy albo cztery lata.

Cioteczna babka Marcie adoptowała go jakiś czas temu, więc wychodzi na to, że Cecil jest moim wujkiem. Co niekiedy prowadzi do dziwacznych akcji.

Myślę, że system powinien być prosty: używanie fotelika dla maluchów automatycznie wyklucza z siedzenia przy stole dla starszych. A jednak wujek Cecil został w jadalni, podczas gdy Rodrick wyniósł się do kuchni, mimo że ma już swoje lata.

Dziś robiłem, co mogłem, by nie siedzieć obok Malvina i Malcolma, przez co wylądowałem przy kuzynce Georgii. Jeden z jej przednich zębów wisi dosłownie na włosku.

GEORGIA

Ten mleczak wyglądał identycznie OSTATNIM razem, kiedy ją widzieliśmy, czyli ponad ROK temu. Każdy w rodzinie próbuje przekonać Georgię, żeby pozwoliła go sobie wyciągnąć, lecz ona odwleka sprawę w nieskończoność.

Kiedy MNIE chwiała się jedynka, nie chciałem słyszeć o tym, żeby ktoś mi ją wyjął. Mama urabiała mnie przez całe TYGODNIE, ale ja za bardzo się bałem. Wreszcie powiedziała, że mogę połknąć ząb we śnie i że to ogromnie niebezpieczne.

Ale ja wiedziałem, że zmyśla, bo tydzień wcześniej Manny połknął mój samochodzik i JAKOŚ przeżył.

Tacie chyba obrzydła ta zębowa historia, bo postanowił wziąć sprawy w swoje ręce. Zapowiedział, że pokaże mi magiczną sztuczkę, i przywiązał jeden koniec sznurka do mojego mleczaka, a drugi do klamki przy drzwiach. Nie miałem pojęcia, co mnie czeka, a potem było już za późno.

Przez czterdzieści pięć minut patrzyłem, jak Georgia obraca językiem swoją rozchwianą jedynkę. W końcu wstałem i poszedłem do salonu, bo wiedziałem, że w tym pokoju babcia trzyma sznurek.

Ale ku mojemu zaskoczeniu była tam już mniej więcej połowa dorosłych. Przetrząsali albumy ze zdjęciami.

Z tego, co zrozumiałem, wróżka cioci Audry powiedziała, że obrączka Busi jest w jakimś albumie, i dorośli na maksa się tym podjarali.

Nagle ktoś zasugerował, że może wróżka nie mówiła DOSŁOWNIE, no więc wszyscy zaczęli oglądać fotografie w poszukiwaniu wskazówek.

Minutę później wujek Larry coś znalazł.

Pokazał nam zdjęcia z ostatniej Wielkanocy, jaką spędziliśmy z Busią. Na jednej fotce prababcia miała swoją obrączkę z diamentem, ale na drugiej JUŻ NIE.

Przygotowania do wielkanocnego polowania na jajka.

Słynny mus jabłkowy Busi.

Nie trzeba było geniusza, aby zrozumieć, co się stało z pierścionkiem. Piętnaście sekund później wszyscy rozbiegli się po ogrodzie w poszukiwaniu plastikowych jajek.

Pewnie doszli do wniosku, że jeśli obrączka jest w jajku, będzie należeć do osoby, która ją znajdzie. Mama próbowała ich namówić, żeby wrócili do stołu i zjedli deser, ale bez skutku.

Chciwość moich krewnych była nieco przerażająca. Choć przyznam, że i mnie się udzieliła ogólna ekscytacja. Podczas gdy reszta szukała jajka NA ZEWNĄTRZ, ja postanowiłem rozejrzeć się W ŚRODKU.

Dopiero kiedy mama nakryła mnie na grzebaniu w bieliźnie babci, zrozumiałem, że może TROCHĘ przeginam.

Mama chyba naprawdę się wściekła na swoją rodzinę, bo oświadczyła, że jedziemy do domu.

Do tamtej chwili nikt nie znalazł pierścionka. Kiedy jednak wychodziliśmy od babci, część ludzi nadal przeczesywała ogród.

Wtorek

Na ogół ciocia Gretchen i jej bliźniaki spędzają z nami jakiś tydzień. Ale tym razem to były tylko dwa DNI.

Wszystko dlatego, że tata ich wyprosił po wczorajszym zajściu. Podczas kolacji zabrakło keczupu i Malcolm zadzwonił pod 112, żeby na nas donieść.

Przez jakieś dwie godziny rodzice tłumaczyli się przed policją.

Kiedy tata wymówił miejscówkę cioci Gretchen i jej dzieciom, wszyscy troje wynieśli się do babci.

Chyba byli całkiem zadowoleni, bo teraz mają więcej czasu na szukanie jajka.

Ucieszyłem się, że sobie pojechali, ponieważ w końcu odzyskałem łóżko. Przez dwie noce musiałem spać w pokoju Rodricka na dmuchanym materacu z dziurą.

Choć pompowałem go do oporu, do rana robił się zupełnie sflaczały.

Wczoraj, kiedy się ubierałem, zauważyłem coś pod łóżkiem Rodricka.

To była jedna z tych magicznych kul numer 8. Pewnie mój brat dostał ją kiedyś w prezencie, a gdy wpadła pod łóżko, kompletnie o niej zapomniał.

Niesamowicie się podekscytowałem. Nigdy wcześniej nie miałem w rękach niczego podobnego.

Z magiczną kulą postępuje się tak. Trzeba zadać pytanie, potrząsnąć nią i poczekać, aż odpowiedź pojawi się w małym okienku.

Byłem ciekaw, czy to naprawdę DZIAŁA, więc postanowiłem ją wypróbować. Wymyśliłem pytanie, skupiłem się mocno, a potem solidnie potrząsnąłem kulą.

Parę sekund później odpowiedź pojawiła się w okienku.

Nie będę zaprzeczał, to zrobiło na mnie wrażenie. Ale musiałem zadać jeszcze kilka pytań, aby się upewnić, że kula mówi prawdę.

No i wyobraźcie sobie, że kula ani razu się nie pomyliła.

Nawet kiedy wymyśliłem coś podchwytliwego, dostałem całkiem sensowną odpowiedź.

Wtedy zdałem sobie sprawę, że magiczna kula nadaje się nie tylko do odpowiadania na PYTANIA, lecz także do udzielania RAD.

Na początek spytałem, czy powinienem wziąć prysznic i czy naprawdę muszę wymyślić projekt na kiermasz naukowy. Na pytanie dotyczące prysznica kula odpowiedziała twierdząco, ale jej opinia na temat projektu ogromnie mnie ucieszyła.

Widzicie, właśnie TEGO zawsze mi brakowało. Teraz, kiedy mam coś, co pomoże mi podejmować MAŁE decyzje, sam mogę się skupić na DUŻYCH.

Wiem ze szkoły, że Albert Einstein codziennie nosił identyczne ubrania, bo nie chciał marnować swoich cennych szarych komórek na rozważanie, co wybrać.

A za mnie wyborów będzie dokonywać KULA.

Coś wam powiem. Po zaledwie jednym dniu nie wiem, jak mogłem się wcześniej BEZ niej obyć.

Czwartek

Po paru dniach odkryłem, że magiczna kula numer 8 ma pewne ograniczenia. To jednak nie znaczy, że z niej ZREZYGNUJĘ. Chciałem, by mi pomogła w odrabianiu matmy, ale wyszło na jaw, że nie jest zbyt dobra w dawaniu szczegółowych odpowiedzi.

Co więcej, gdy NAPRAWDĘ potrzebujesz jej rady, ona potrafi kazać ci czekać.

Dzisiaj po drodze ze szkoły jeden z Mingów podleciał do mnie z kijkiem. Zapytałem magiczną kulę, czy mam uciekać, czy raczej walczyć, i potrząsnąłem nią mocno.

Ale ona z jakiegoś powodu nie umiała się zdecydować.

Jednak Z NAWIĄZKĄ wynagrodziła mi to później, kiedy mama powiedziała, że spędzam zbyt dużo czasu w domu i że powinienem pooddychać świeżym powietrzem.

Gdy mama opuściła pokój, zapytałem kulę, czy mam poważnie potraktować tę sugestię. A jej stanowisko nie mogło być bardziej jednoznaczne.

No więc schowałem się w szafie mamy. Wiedziałem, że to OSTATNIE miejsce, w którym będzie mnie szukać.

Czekając w kryjówce, aż mama sobie pójdzie, zauważyłem jakieś książki na górnej półce.

Były upchnięte za pudełkami na buty, więc nie ulegało wątpliwości, że mama nie chce, aby ktoś je znalazł. Z początku nie mogłem zrozumieć, czemu trzyma książki w szafie zamiast na regale, ale kiedy przeczytałem tytuły, wszystko się wyjaśniło.

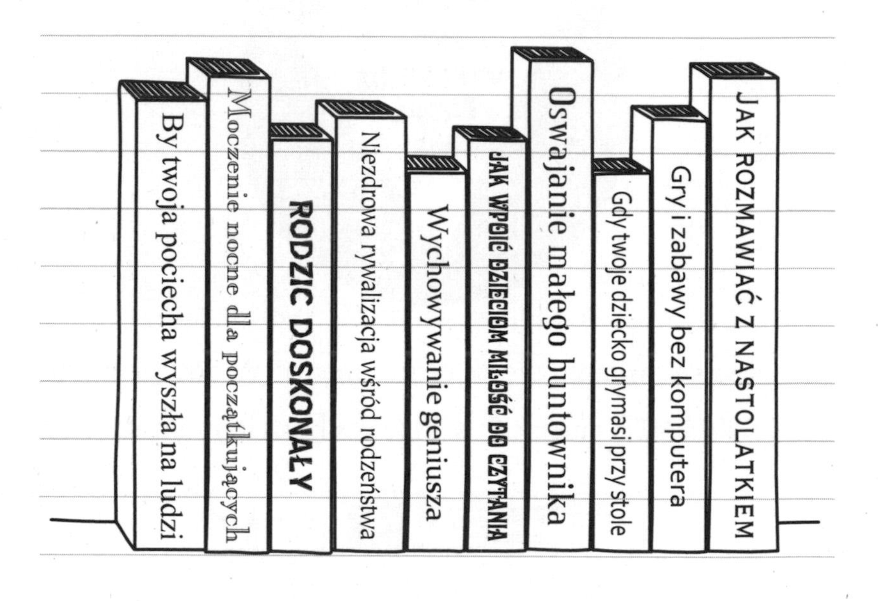

Te poradniki są najwyraźniej tajną bronią mamy, a ona woli, żebyśmy o niej NIE WIEDZIELI.

Przekartkowałem parę książek i niektóre naprawdę otworzyły mi oczy. Jedna mówiła o czymś, co naukowcy nazwali psychologią odwrotną.

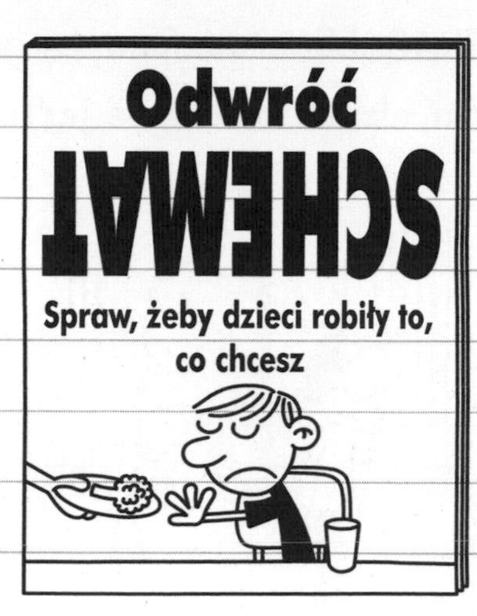

Generalnie chodzi tu o zmuszanie dzieci do robienia różnych rzeczy poprzez mówienie im, żeby zrobiły coś PRZECIWNEGO. Teraz, gdy o tym myślę, uświadamiam sobie, że mama i tata używają tej techniki od lat.

Kiedyś wręcz BŁAGAŁEM rodziców, by pozwolili mi zmywać naczynia, ale oni mówili, że jestem za mały.

Wreszcie w moje ósme urodziny zgodzili się, żebym powycierał talerze, a ja byłem tak uradowany, jakbym dostał milion dolarów. Teraz wiem, że to był podstęp i że najwidoczniej Rodrick też dał się nabrać.

Książki w szafie mamy opisywały niemal wszystkie sytuacje, z jakimi może zetknąć się rodzic. Zawsze byłem ciekaw, skąd mama czerpie inspirację, i już rozumiem.

Kiedy miałem dziewięć lat, znalazłem liszkę pełzającą po naszych schodach przed drzwiami wejściowymi. Nazwałem ją Skrętek i zrobiłem jej dom w słoiku, a w pokrywce wywierciłem dziurki.

Codziennie wypuszczałem Skrętka ze słoika, żeby sobie pospacerował.

Ale akurat wtedy Manny stawiał swoje pierwsze kroki, co okazało się fatalne w skutkach.

Byłem naprawdę zrozpaczony, więc tego samego wieczoru mama przyszła do mojego pokoju, żeby porozmawiać.

Powiedziała, że nie powinienem się smucić, bo Skrętek trafił do nieba dla liszek, gdzie zawsze świeci słońce i jest mnóstwo liści do jedzenia. Muszę przyznać, że TO poprawiło mi nieco nastrój.

Cóż, teraz nie mam wątpliwości, SKĄD mama wzięła ten pomysł.

Jedna z książek na półce wyglądała na zupełnie nową. A gdy po nią sięgnąłem, wiele rzeczy zaczęło układać się w CAŁOŚĆ.

W szafie mamy odkryłem też rozwiązanie innych zagadek. Kiedy chodziłem do przedszkola, miałem pluszaka Łaskotka, z którym co wieczór zasypiałem.

Pewnego lata pojechaliśmy na wakacje nad ocean, a ja wziąłem ze sobą przytulankę. Ale któregoś popołudnia, gdy wróciliśmy do motelu, stwierdziliśmy, że Łaskotek PRZEPADŁ.

Mama powiedziała, że sprzątaczka musiała zgarnąć go niechcący razem z pościelą. Zaproponowała, żebyśmy poszli do pralni i sprawdzili, czy czasem nie trafił do bębna.

Ale tam TEŻ go nie było. Wpadłem w totalną histerię, więc mama poprosiła, żebym zrobił ogłoszenia. Porozwieszaliśmy je po całym motelu.

KTOKOLWIEK WIDZIAŁ...

IMIĘ: ŁASKOTEK

WZROST: 38 CM

OSTATNIO WIDZIANY W:
MOTELU PANORAMA

ZNALAZCA PROSZONY O ZWROT DO: RECEPCJI

Na drugi dzień poszliśmy na plażę, ja jednak nie mogłem przestać myśleć o Łaskotku.

W jednej z tych gier, w jakie gra się w wesołym miasteczku, tata zdobył dla mnie pluszaka, który miał zastąpić Łaskotka. Ale to nie było to samo.

Zaginięcie Łaskotka na dobrą sprawę zrujnowało wakacje nam WSZYSTKIM, toteż wróciliśmy do domu dzień wcześniej. Poszedłem spać, a następnego dnia rano Łaskotek siedział sobie w najlepsze na mojej szafce nocnej.

Mama powiedziała, że widocznie sam znalazł drogę, bo bardzo mnie kocha. A ja długo wierzyłem w ten scenariusz.

Dziś jednak za książkami w szafie znalazłem PIĘĆ pluszowych małp, które wyglądały ZUPEŁNIE jak Łaskotek.

Co oznacza, że mama musiała kupić kilka rezerwowych pluszaków zaraz po tym, jak zgubiłem tego prawdziwego.

I KTO WIE, która to już wersja Łaskotka siedzi w tej chwili na mojej półce.

Gdy o tym myślę, przypominam sobie, że kiedyś trzeba było go uprać, bo oberwał mlekiem czekoladowym. A po otwarciu pralki bęben wyglądał, jakby rozpruła się w nim poduszka.

Ale wieczorem, kiedy wróciłem z kąpieli, Łaskotek, cały i zdrowy, znów siedział na moim łóżku. No więc przypuszczam, że obecnie mieszka ze mną w pokoju jego potomek w trzecim lub czwartym pokoleniu.

To RÓWNIEŻ tłumaczy, dlaczego Manny śpi z dziesięcioma dinozaurami.

Kiedyś miał tylko JEDNEGO o imieniu Reksio, lecz widocznie na DŁUGO przede mną odnalazł żelazną rezerwę przytulanek.

Chciałem dalej przeszukiwać szafę, żeby zobaczyć, co JESZCZE kryje, ale usłyszałem, jak mama wchodzi na piętro, i musiałem uciekać.

Dzięki temu, że wiem o poradnikach w jej skrytce, zawsze będę o krok przed rodzicami. A TO zasługa mojej magicznej kuli.

Wtorek

Dziś wieczorem postanowiłem sprawdzić, czy któryś z chwytów opisanych w książkach mamy zadziała na DOROSŁYCH.

Od WIEKÓW proszę rodziców o własny telefon, ale mama niezmiennie odpowiada, że przecież jeden już MAM. Chodzi jej o Biedronkę, czyli o coś, co jest właściwie zabawką dla przedszkolaków.

No więc kiedy myłem z Rodrickiem naczynia, zaryzykowałem. Przetestowałem na mamie i tacie psychologię odwrotną.

W sumie nie wiedziałem, czego oczekiwać, więc byłem zszokowany tym, jak SZYBKO potoczyły się sprawy. Mama błyskawicznie przyszła do mojego pokoju. Powiedziała, że zmienia telefon i że stary może oddać MNIE.

Lecz zanim mi go wręczyła, dodała, że są pewne „warunki". Oświadczyła, że mam dzielić się telefonem z Mannym, bo on gra na jej komórce w gry edukacyjne.

Zaznaczyła też, że nie mogę esemesować z kolegami.

Cóż, pisanie esemesów nie stanowiłoby problemu, bo w tej chwili nie mam ŻADNEGO kolegi. Jednak dzielenie się z Mannym to inna historia.

Młody lubi robić zdjęcia telefonem, a ja naprawdę nie chciałem, żeby JEGO fotki pomieszały się z MOIMI.

Tak czy inaczej, byłem bardzo podekscytowany tym, że w końcu mam przyzwoitą komórę.

Spędziłem trochę czasu, wybierając nową tapetę i dzwonki. Lecz nagle w środku tego zajęcia dostałem esemesa od babci, niewątpliwie przeznaczonego dla mamy.

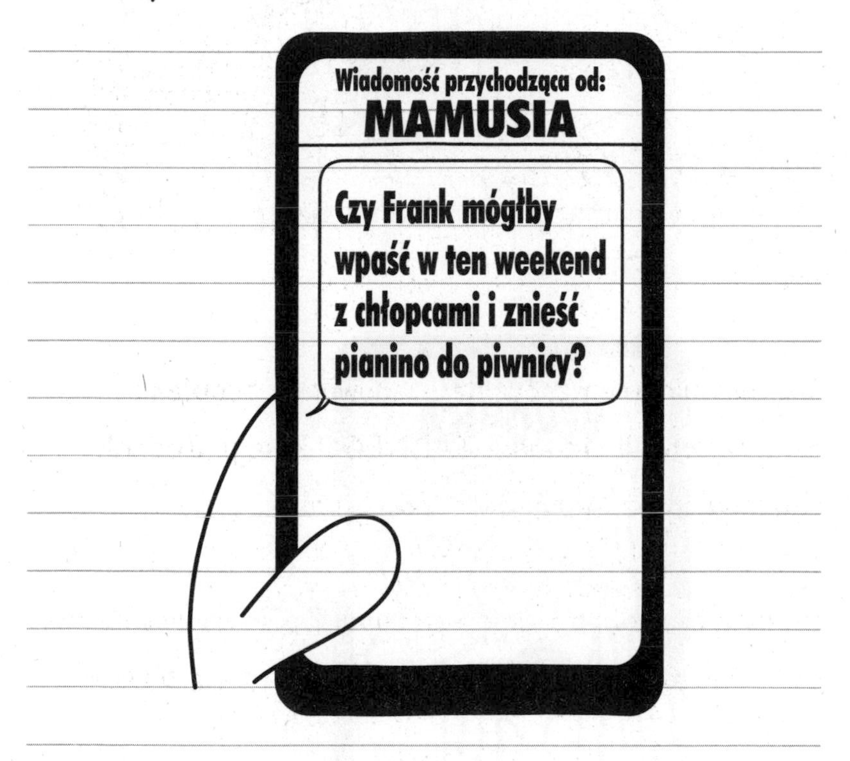

Mama mówiła, że nie wolno mi pisać do znajomych, nic jednak nie wspominała o KREWNYCH.

Wybacz, ale w najbliższy weekend będą zacieśniać więzi rodzinne.

Kiedy już załatwiłem tę sprawę, ściągnąłem sobie masę gierek i zacząłem dobrze się bawić.

Aż nagle w środku gry włączył mi się czat wideo z ciocią Veronicą.

OSTATNIĄ rzeczą, jakiej się spodziewałem w zaciszu własnej toalety, była TWARZ cioci Veroniki.

No więc sądzę, że miałem prawo okazać zaskoczenie.

Wyłowiłem komórkę z kibelka i zrobiłem wszystko, aby przywrócić ją do życia, lecz bezskutecznie.

Nie jestem dumny z tego, że popsułem telefon, ale mam coś na swoją obronę. WYRAŹNIE ostrzegałem mamę i tatę, że nie jestem gotowy na taką odpowiedzialność.

Środa

Już mnie to męczy, że przy lasku Mingów zawsze drżę o własne życie. Uświadomiłem sobie jednak, że ci kolesie zaczajają się tylko na uczniów, którzy wracają po południu do domu. No więc uznałem, że najsprytniej będzie ich przeczekać.

To oznaczało, że muszę zabić jakoś czas po lekcjach. W szkole jest mnóstwo różnych kółek zainteresowań, ale mnie takie rzeczy nigdy nie pociągały.

kółko matematyczne

kółko teatralne

kółko stosunków międzynarodowych

kółko poetyckie

Dzisiaj zostałem dłużej po zajęciach, żeby zobaczyć, czy coś z tego w ogóle mi przypasuje.

Kółko gier planszowych zapowiadało się całkiem nieźle, jednak jego opiekunem jest pan Nern, a my dwaj już wyrobiliśmy naszą normę kontaktów towarzyskich na ten rok.

Jest jeszcze klub miłośników wojny na poduszki. Wystarczył mi jeden rzut oka, by się upewnić, że to nie moje klimaty.

Niektóre kółka są naprawdę EKSTREMALNE, jak choćby bractwo spontanicznego przytulania, które rozpoczęło działalność wiosną tego roku.

Wybór był tak trudny, że zostawiłem go magicznej kuli. Podchodziłem do każdych drzwi po kolei i potrząsałem nią, żeby zobaczyć, do której sali powinienem zajrzeć.

Wiele razy wyświetliło się: „Nie", parę razy: „Zapytaj później", lecz wreszcie przed drzwiami zespołu pracującego nad księgą pamiątkową przeczytałem: „Zdecydowanie tak".

Wszedłem do środka i najwyraźniej trafiłem w sam środek zebrania.

Poczekałem z tyłu klasy, aż skończą, po czym zapytałem Betsy Buckles, redaktorkę księgi, czy mogę się przyłączyć.

Odparła, że co prawda niewiele zostało do roboty, ale brakuje im jeszcze materiału do strony ze zdjęciami z zaskoczenia. Dodała, że szkoła płaci pięć dolarów za każdą wykorzystaną fotkę, no więc nie wahałem się dłużej.

Jeśli pozbędę się Mingów i W DODATKU zarobię, nie mam więcej pytań.

Czwartek

Dziś był mój pierwszy dzień w roli fotografa księgi pamiątkowej. Myślałem, że pójdzie z górki, ale nic bardziej mylnego. Chciałem zdobyć jakieś świetne ujęcia, jednak bądźmy szczerzy. Dzieciaki w mojej szkole nie robią NIC ciekawego.

Próbowałem łączyć robienie zdjęć ORAZ naukę, lecz to też okazało się kłopotliwe.

Miałem nadzieję, że ktoś zrobi w końcu coś naprawdę idiotycznego, a ja mu strzelę ekstrafotkę. Ale z jakiegoś dziwnego powodu wszyscy zachowywali się dziś bez zarzutu.

Jest jedno zdjęcie, za które dałbym się POKROIĆ. To portret Jamara Lawa z głową w oparciu krzesła. W POPRZEDNIEJ księdze było takie ujęcie, więc postanowiłem zachować czujność, na wypadek gdyby Jamar zechciał powtórzyć ten numer. Wiem, że fotoreporter nie powinien wpływać na swoich bohaterów, jednak starałem się ZASUGEROWAĆ Jamarowi właściwy kierunek.

Fotografiom w księgach pamiątkowych i w kolorowych magazynach zawsze towarzyszą podpisy.

Toteż kiedy pod koniec dnia oddawałem zdjęcia Betsy, opatrzyłem je komentarzami, żeby wiedziała, co właściwie ogląda.

Jestem pewien, że Doug Parker ma rozpięty rozporek.

Głupki jadą autobusem.

Trevor Wilson nie umył rąk w toalecie.

Znowu?! Chad Middleton idzie do pielęgniarki ze swoim krwawiącym nosem.

W nowoczesnej fotografii lubię to, że wszystko jest cyfrowe. Jeśli coś nie wyszło ze zdjęciem, można je podrasować w programie komputerowym.

Na fotkach, które machnąłem podczas lunchu, ktoś akurat zamknął oczy. Byłyby BEZUŻYTECZNE, gdybym ich nie przerobił.

Myślę, że każda księga pamiątkowa potrzebuje odrobiny humoru, więc kilka ujęć podkręciłem, żeby były zabawniejsze. Mam nadzieję, że pan Blakely nie dostanie szału, jak je zobaczy.

Zdałem sobie sprawę, że fucha fotografa daje mi sporo WŁADZY.

Mogę decydować o tym, kto znajdzie się w księdze pamiątkowej, a kto NIE. A jeśli ktoś mnie WNERWIA, mogę się na nim zemścić.

Po szkole pstryknąłem zdjęcie Leonowi Feastowi. Kiedy obrobiłem je na komputerze, jego głowa zmniejszyła się o 75%. Mam ogromną nadzieję, że ta fotka zostanie wykorzystana. A wtedy podziękuję magicznej kuli numer 8.

Poniedziałek

W weekend znów miałem okazję zakraść się do szafy mamy. Za jej zimowymi butami znalazłem swój stary kocyk.

Nie mogłem w to UWIERZYĆ. Szukałem go przez kilka miesięcy, a on cały czas był tutaj.

Dostałem ten kocyk w zeszłym roku na Gwiazdkę od rodziców. Kiedy pierwszy raz spojrzałem na pudełko, nie byłem zachwycony.

Ale wszystko uległo zmianie, gdy tylko go włożyłem. Powiem jedno: ten, kto wynalazł kocyk z rękawami, był GENIUSZEM.

Wiecie, jak to jest, kiedy oglądacie telewizję zawinięci od stóp do głów w koc. Żeby sięgnąć po szklankę albo pilota, musicie się odkryć.

No cóż, kocyk z rękawami ROZWIĄZAŁ ten problem. Przypomina normalny koc, ale ma rękawy i RĘKAWICZKI. Czyli można w nim sięgać po różne rzeczy bez narażania dłoni na kontakt z zimnym powietrzem.

A że jest uszyty z flaneli, człowiek czuje się tak, jakby w ogóle nie wychodził z łóżka.

RODRICK dostał wtedy prawie identyczny koc i zapałał do niego chyba JESZCZE większą miłością. Prawdę mówiąc, gdy włożył Kocyk Mocy po raz pierwszy, łaził w nim przez jakieś pięć dni.

Pewnie zostałby w kocyku na zawsze, gdyby mama nie kazała mu iść pod prysznic.

Wcześniej mój starszy brat ucinał sobie drzemkę tylko w łóżku albo na kanapie, lecz nagle zaczął przysypiać gdzie popadnie.

Mama i tata znosili to przez jakiś czas, ale najwyraźniej ździebko przeholowaliśmy, bo nagle nasze kocyki zniknęły w tajemniczych okolicznościach.

Kiedy odnalazłem Kocyk Mocy w ten weekend, nie wiedziałem, CO robić.

Gdybym zaczął paradować w nim po domu, mama wiedziałaby, że grzebałem w jej szafie. Czyli mogłem go nosić tylko w łóżku, a to by było jak wożenie drew do lasu.

Tego ranka, szykując się do szkoły, nagle doznałem olśnienia.

Zrozumiałem, że jeśli włożę kocyk POD ubranie, nikt się nie zorientuje. A siedzenie w klasie będzie zupełnie jak leżenie w POŚCIELI.

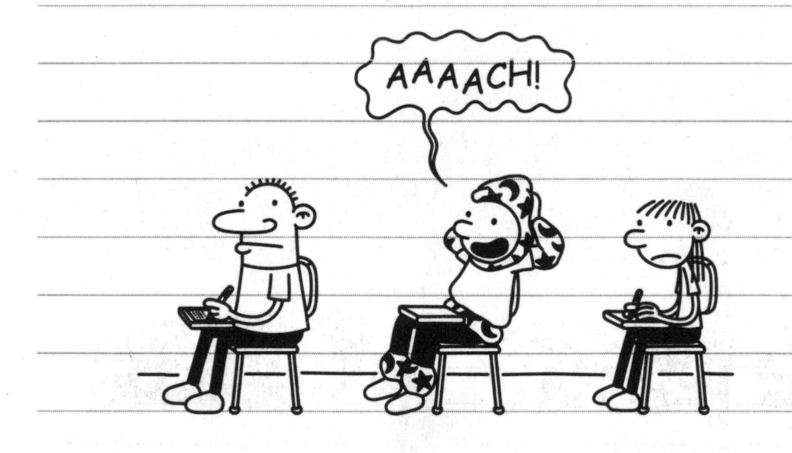

Żałuję tylko, że nie przemyślałem sprawy, bo choć w kocyku świetnie ogląda się telewizję, chodzenie w nim po ULICY to wyższa szkoła jazdy.

Nogawki są króciutkie, więc człowiek wygląda jak pingwin na spacerze.

Przez rękawiczki nie mogłem otworzyć zamka w szafce na korytarzu, a próba robienia pajacyków na wuefie była naprawdę ŻAŁOSNA.

Poza tym odkryłem słaby punkt flaneli. Szybko się NAGRZEWA.

Po wuefie w stópkach kocyka chlupotał mi pot, więc dotarło do mnie, że już pora na zmianę planu.

Ale kiedy chciałem ZDJĄĆ Kocyk Mocy, nagle popsuł się suwak.

Powinienem był WIEDZIEĆ, że nie należy ufać produktom reklamowanym w telewizji.

Próbowałem się uwolnić, wysuwając ręce przez otwór na głowę, ale gdzieś po drodze utknęły mi łokcie.

Wpadłem w panikę, bo kocyk nie przepuszczał powietrza, a ja się bałem, że skończę jak burrito w mikrofali.

Po minucie zacząłem głęboko oddychać, żeby się uspokoić. Zostało mi tylko parę lekcji. Potem mogłem pójść do domu i rozciąć koc nożyczkami.

Na ostatnich zajęciach, z wiedzy o społeczeństwie, mieliśmy klasówkę. Byłem KOMPLETNIE nieprzygotowany, więc bardzo się ucieszyłem, że to test wyboru.

Właśnie do TAKICH rzeczy magiczna kula numer 8 nadaje się najlepiej.

Kiedy rozpoczął się sprawdzian, wyciągnąłem kulę z plecaka i zacząłem zadawać pytania. Kilka odpowiedzi jak na mój gust wyglądało podejrzanie, ale dzięki kuli zaszedłem tak DALEKO, że nie zamierzałem podważać jej autorytetu.

Ten system jednak zajmował MASĘ czasu. Inni już oddawali testy, a ja nie byłem nawet w połowie.

Zacząłem się denerwować, że nie zdążę przed dzwonkiem. W dodatku magiczna kula WYRAŹNIE grała na zwłokę.

Potrząsałem nią coraz szybciej, żeby w końcu uzyskać jakieś prawdziwe odpowiedzi, aż nagle wyślizgnęła mi się z rąk.

Uderzyła mocno o podłogę i zanim zdążyłem ją złapać, potoczyła się PROSTO do pani Merritt.

Wtedy rozległ się dzwonek, reszta klasy wyszła, a pani Merritt zabrała mnie do wicedyrektora Roya. Oświadczyła, że zostałem przyłapany na ściąganiu i że używałem do tego „nowych technologii".

Wicedyrektor Roy był chyba trochę skołowany, lecz potraktował skargę pani Merritt poważnie. Zadzwonił do mojej MAMY, która dziesięć minut później zjawiła się w jego biurze.

Muszę przyznać, że zachowała się w porządku, bo wzięła mnie w obronę. Oznajmiła, że magiczna kula numer 8 to tylko „niewinna zabawka" i że z jej pomocą NIE MOGŁEM oszukiwać na teście.

Chciałem się wtrącić i powiedzieć, żeby nie okazywała lekceważenia potężnej magii, nazywając ją zabawką, ale dotarło do mnie, że to może poczekać. Zresztą mama nie poruszyła jeszcze tematu kocyka, a ja nie chciałem wyprowadzać jej z równowagi.

Myślałem, że wicedyrektor Roy mi odpuści, on jednak zaczął oglądać w komputerze moje stopnie. Stwierdził, że ostatnio bardzo się popsuły, i to z każdego przedmiotu. Potem zauważył, że od trzech tygodni nie oddałem żadnej pracy domowej.

Cóż, może to i prawda, ale odkąd Fregley wyrzucił moje podręczniki, dość trudno odrabia mi się lekcje.

Wtedy wicedyrektor Roy totalnie mnie rozwalił. Obwieścił, że jeśli nie poprawię ocen w najbliższych tygodniach, będę chodził do LETNIEJ szkoły.

TA wiadomość naprawdę mną wstrząsnęła. O letniej szkole krążą różne plotki, więc wolałbym trzymać się od niej z daleka.

Podobno żeby zaoszczędzić, podczas zajęć wyłącza się klimę.

Lekcje bardziej przypominają więzienie niż szkołę i nie prowadzą ich prawdziwi nauczyciele. Słyszałem nawet, że panem od angielskiego jest WOŹNY.

Nie wiem, czy wicedyrektor Roy chciał mnie tylko nastraszyć, ale jeśli tak, to mu się UDAŁO. Sama myśl o spędzeniu wakacji w towarzystwie pana Meeksa wystarczy, żebym został prymusem.

Czwartek

Nie rozumiem, w jaki sposób moja średnia tak się pogorszyła, bo rok szkolny zacząłem naprawdę DOBRZE. W pierwszym trymestrze dostawałem piątki i czwórki, a mama zabrała mnie w nagrodę na lody z gorącym sosem czekoladowym.

RODRICK też się załapał na wyżerkę, chociaż miał tragiczne oceny.

To mnie nauczyło, że nawet jeśli harujesz jak wół, ktoś zawsze przyjdzie i spije całą śmietankę.

Wiem, że nie jestem świetnym uczniem ani nic z tych rzeczy, ale nigdy dotąd nie musiałem się martwić POPRAWKAMI.

W tym tygodniu robiłem, co w mojej mocy, żeby ogarnąć temat. Mama zdobyła dla mnie używane podręczniki i każdego wieczoru pisałem zaległe prace domowe.

Tyle że z paru przedmiotów, z których grozi mi poprawka, nie zadaje się NIC do domu. Jeden z nich to muzyka, na której po prostu nie jestem „aktywny". Tak samo zresztą jak inne chłopaki. Właśnie dlatego pani Norton stosuje taktykę bezpośredniego kontaktu, usiłując nakłonić nas do śpiewania.

Jeśli pan Meeks uczy w letniej szkole ANGIELSKIEGO, nawet nie chcę sobie wyobrażać, jak tam wygląda muzyka.

Obiecałem sobie, że począwszy od DZISIAJ, będę najlepszym uczniem pani Norton.

No więc kiedy na początku lekcji wywołała moje nazwisko, wstałem i zaintonowałem piosenkę, której właśnie się uczymy.

Pani Norton poczekała, aż skończę, a wtedy powiedziała, że wcale nie kazała mi ŚPIEWAĆ, po prostu sprawdzała obecność.

Przez cały tydzień mama pomaga mi z brakującymi pracami domowymi, ale mówi, że jedną rzecz muszę zrobić SAM. Projekt na kiermasz naukowy. A to bardzo niefajnie, bo ja nie jestem orłem z przedmiotów ścisłych.

W ZESZŁYM roku przygotowałem eksperyment dotyczący metamorfozy. Znalazłem około tuzina gąsienic, wsadziłem je do pudełka z liśćmi, żeby miały co jeść, a one wszystkie zawinęły się w kokony.

Mój plan polegał na tym, by otworzyć pudełko w MOMENCIE przemiany gąsienic w motyle i wzbudzić zachwyt nauczycieli.

Urobiłem się przy tym projekcie po łokcie i nawet oddałem go dzień WCZEŚNIEJ. Ale pudełko z gąsienicami zostawiłem na grzejniku w pracowni przyrodniczej i to był niestety koniec mojego eksperymentu.

Dziś podczas przerwy szukałem jakiejś inspiracji w szkolnej bibliotece. Znalazła mnie tam Betsy Buckles, która powiedziała, że jestem potrzebny zespołowi od księgi pamiątkowej.

Oświadczyła, że już mamy wyniki wyborów na Klasowych Ulubieńców, i poprosiła, żebym zrobił sesję zdjęciową zwycięzcom.

W tym roku nie zawracałem sobie głowy głosowaniem, więc nawet nie znałem nominacji. Ale gdy tylko zwycięzcy zaczęli pojawiać się w progu, nietrudno było zgadnąć, kto wygrał w jakiej kategorii.

Większość wyników była łatwa do przewidzenia. Bryce Anderson został nagrodzony za najpiękniejsze włosy, Cecilia Faramir za największy talent, a Jenna Stewart za najlepsze ciuchy.

PRAWDZIWĄ niespodzianką był tylko Liam Nelson, który dostał nagrodę za najlepszy wygląd. Jednak Liam jest w zespole pracującym nad księgą pamiątkową i odpowiadał za liczenie głosów, więc coś mi mówi, że sfałszował wybory.

Kiedy w drzwiach stanął Fregley, opadła mi szczęka. Jedyną kategorią, w jakiej go sobie wyobrażałem, był Klasowy Wesołek, ale przecież dopiero co cyknąłem fotkę zwycięzcy – Jeffreyowi Laffleyowi.

Przejrzałem listę, którą dała mi Betsy, i odkryłem, że Fregley wygrał w kategorii NAJBARDZIEJ POPULARNY. Cóż, biorąc pod uwagę okoliczności, pewnie nie powinienem specjalnie się dziwić.

Byłem już w naprawdę fatalnym humorze, kiedy dwie ostatnie osoby weszły do pokoju, żeby zapozować do zdjęcia.

Przebiegłem wzrokiem listę, a gdy dotarłem do końca, zrobiło mi się słabo.

NAJPIĘKNIEJSZA PARA	Rowley Jefferson + Abigail Brown

Robiłem w życiu różne nieprzyjemne rzeczy, ale wierzcie mi, NIC nie mogło równać się z tym.

Po sesji oficjalnie zrezygnowałem z funkcji fotografa i oddałem aparat. Bo są granice ludzkiej wytrzymałości.

Poniedziałek

Odkąd upuściłem magiczną kulę numer 8, wszystko się sypie.

Gdy wicedyrektor Roy mi ją oddał, zauważyłem, że jest dużo lżejsza. Odkryłem, że kiedy uderzyła o podłogę, pękła i zza okienka wylał się ten niebieski płyn. Co oznacza, że teraz jest kompletnie BEZUŻYTECZNA.

W końcu cisnąłem ją za płot babci w drodze ze szkoły. Choć potem tego żałowałem, bo przede mną były NAPRAWDĘ trudne decyzje.

Wreszcie nadgoniłem z zaległymi pracami domowymi, ale termin oddania projektu na kiermasz naukowy mijał w czwartek. A ja nadal byłem z nim W LESIE.

Wtedy pomyślałem o Ericku Glicku. Krążyły słuchy, że opyla różne stare prace, więc nie wykluczałem, że projekt naukowy też mógłby skołować.

Nie wiedziałem tylko, czy chcę się zadawać z takim podejrzanym typem. Podobną decyzję w normalnych okolicznościach zostawiłbym magicznej kuli numer 8, tym razem jednak mogłem liczyć wyłącznie na siebie.

Byłem zdesperowany, toteż na przerwie odnalazłem Ericka za szkołą i opisałem mu sytuację.

Odparł, że coś wykombinuje, a potem zastukał w znajdujące się nieopodal drzwi bez klamki. To musiał być tajny kod, bo zaraz się otworzyły.

Moje oczy potrzebowały minuty, żeby przywyknąć do ciemności. Wewnątrz był najwyraźniej jakiś magazyn i kilku uczniów stało wokół stołu zawalonego papierami.

Zobaczyłem stare recenzje książek, eseje historyczne i różne inne papiery.

Wyglądało na to, że szefem magazynu jest Dennis Denard. Gość chodzi do ostatniej klasy, ale po drodze dwa razy powtarzał rok. Pewnie nie opłaca mu się kończyć gimnazjum ZBYT wcześnie, skoro rozkręcił tu dochodowy biznes.

Erick powiedział Dennisowi, że potrzebuję czegoś na kiermasz, a on zabrał mnie na tyły magazynu, gdzie były całe PÓŁKI starych projektów.

Z tego, co zauważyłem, lepsze pomysły miały wyższą cenę.

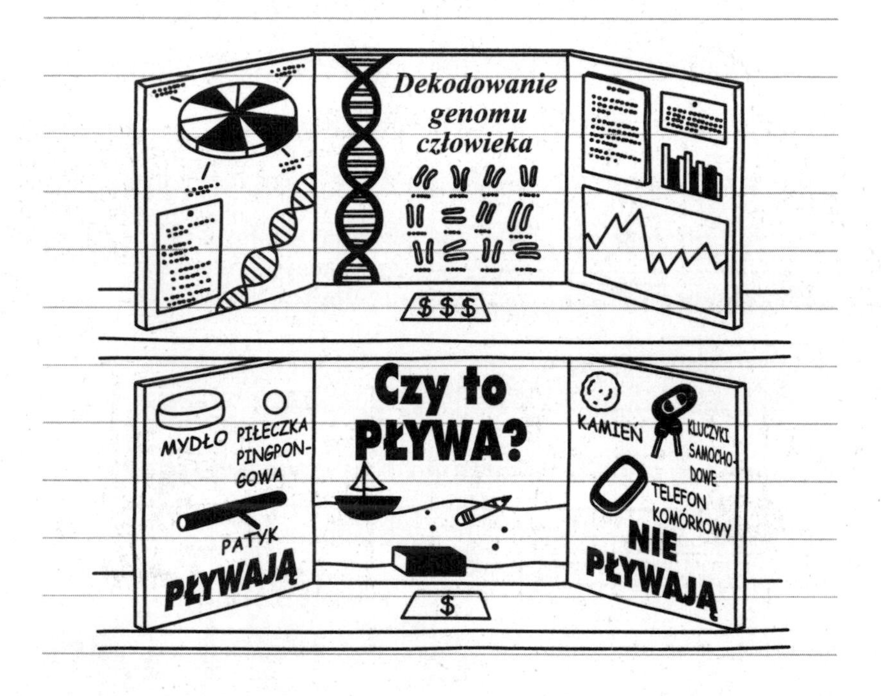

Jeden z projektów wyglądał znajomo, a kiedy przyjrzałem się bliżej, zrozumiałem czemu. To była praca RODRICKA z JEGO gimnazjalnych czasów.

Pamiętam, jak nad nią siedział. Chciał sprawdzić wpływ różnych gatunków muzycznych na tempo wzrostu kwiatów.

No więc porozstawiał rośliny doniczkowe po całym domu – wszędzie tam, gdzie leciała jakaś muzyka.

Wszystkie kwiaty oklapły w ciągu dwóch tygodni i Rodrick uznał, że to muzyka je zabiła. Choć zdaniem mamy rośliny umarły dlatego, że ani razu ich NIE PODLAŁ.

Odnoszę wrażenie, że szkoła wrzuca projekty do magazynu jak leci, niezależnie od tego, czy dostały przyzwoitą ocenę.

Nie wiem, czy to z powodu starego projektu Rodricka, ale zacząłem mieć wątpliwości. Dennis i Erick chyba zauważyli, że się waham, i nagle zaczęli mnie przyciskać.

Powiedziałem Dennisowi, że wrócę jutro, bo nie mam przy sobie forsy.

Erick chciał, żebym to UDOWODNIŁ, wywracając kieszenie, ja jednak zobaczyłem, że drzwi są uchylone, i dałem nogę.

Najwidoczniej nie jestem gotowy, by robić interesy z ludźmi pokroju Dennisa Denarda i Ericka Glicka. Wystarczy jeden fałszywy krok i z tej drogi nie ma już powrotu.

Środa

Cóż, TEGO się nie spodziewałem. Po tygodniu od ogłoszenia Rowleya i Abigail Najpiękniejszą Parą boisko szkolne obiegła wieść o ich zerwaniu.

Podobno Abigail wróciła do swojego poprzedniego chłopaka, Michaela Sampsona, a ludzie gadają, że była z Rowleyem głównie po to, by wzbudzić w Michaelu zazdrość.

I najwyraźniej DOPIĘŁA SWEGO. Choć z tego, co słyszałem, Rowley dowiedział się o wszystkim w bardzo niefajny sposób.

Nie mogę jednak bez końca użalać się nad Rowleyem. Mam WŁASNE zmartwienia.

Wczoraj drugi raz z rzędu siedziałem po zajęciach w szkolnej bibliotece, bo termin oddania projektu wypada już jutro.

A swoją drogą, jestem zadowolony, że nie skorzystałem z pomocy Dennisa Denarda. Ktoś dzisiaj dał cynk jednemu z nauczycieli i ciało pedagogiczne zrobiło nalot na magazyn.

Dzieciaki złapane podczas obławy będą zostawać po lekcjach do końca roku i od letniej szkoły też raczej się nie wykręcą.

Ja nadal mogę UNIKNĄĆ ich losu i NAPRAWDĘ mam na to nadzieję, bo nie chciałbym przez całe lato wpatrywać się w spocone plecy Dennisa Denarda.

<u>Czwartek</u>

Ślęczałem wczoraj nad projektem na kiermasz do jedenastej trzydzieści wieczorem. Nagrody Nobla pewnie nie zgarnę, ale i tak byłem dumny, że SKOŃCZYŁEM.

Myślę, że mama też była zadowolona. Potem jednak zajrzała do regulaminu, który wysłała rodzicom pani Abbington, a tam stało jak wół, że projekt musi być WYDRUKOWANY.

Powiedziała, żebym nie załamywał rąk, tylko natychmiast siadał do komputera.

Ale ja zużyłem już CAŁĄ swoją energię, więc odparłem, że idę spać, a skończę wcześnie rano.

Nastawiłem budzik na szóstą, jednak kiedy się obudziłem, było dziesięć po ósmej. Wpadłem w totalną panikę, bo nie pamiętałem, żebym włączył tryb drzemki CHOCIAŻ raz.

Wiedziałem, że mam kłopoty. Musiałem wyjść do szkoły w ciągu dwudziestu minut i nie było nawet MOWY o tym, żebym zdążył z przepisywaniem.

Ale kiedy poszedłem na dół, mój projekt, WYDRUKOWANY, stał na kuchennym stole.

Przez sekundę myślałem, że to Naukowa Wróżka zjawiła się w nocy i posypała magicznym proszkiem moje kartki. Potem jednak zrozumiałem, że pomogła mi MAMA.

Poszedłem do sypialni rodziców, żeby jej podziękować, ale spała jak suseł.

Oddałem projekt na drugiej godzinie lekcyjnej i KAMIEŃ spadł mi z serca. Przez resztę zajęć naprawdę DOBRZE się bawiłem.

Rowley, przeciwnie, czuł się nieciekawie.

Na przerwie po prostu plątał się tam i z powrotem z zagubionym wyrazem twarzy, a raz czy dwa widziałem go obok przystanku przyjaźni.

Rozważałem, czyby do niego nie podejść i nie zagadać, jednak uprzedził mnie pan Nern.

Im dłużej o wszystkim myślałem, tym bardziej utwierdzałem się w przekonaniu, że każdemu z nas będzie lepiej bez tego drugiego. Tyle razy kłóciliśmy się i godziliśmy, że już naprawdę wystarczy.

Ale widok Rowleya grającego na ławeczce w warcaby z panem Nernem wywołał we mnie wyrzuty sumienia.

Nie umiałem się na nic zdecydować, więc poszedłem tam, gdzie mogłem dostać jakąś radę.

Po drodze ze szkoły zatrzymałem się przy domu babci. Chciałem sprawdzić, czy odnajdę magiczną kulę numer 8 w jej ogrodzie. Wiedziałem, że jest zepsuta, miałem jednak nadzieję, że jakimś cudem jeszcze raz mi udzieli trafnej odpowiedzi.

Zajęło to sporo czasu, ale w końcu ją zobaczyłem. Leżała obok sterty drewna.

Byłem gotów, by się porządnie skupić i zadać pytanie, lecz właśnie wtedy zauważyłem między kłodami coś zielonego i błyszczącego.

Całkiem zapomniałem o kuli i ruszyłem po plastikowe jajko.

Potrząsnąłem nim lekko, a kiedy usłyszałem dźwięk, wiedziałem już NA PEWNO, co jest w środku.

Nie mogłem uwierzyć, że magiczna kula zaprowadziła mnie prosto do obrączki Busi. Pewnie uznała, że po wszystkim, przez co przeszedłem, jest mi to WINNA.

Gdy zrozumiałem, że naprawdę mam ten pierścionek, MILION myśli przemknął mi przez głowę.
W większości z nich występował plecak odrzutowy.

Pamiętałem jednak, co według mamy nastąpi, jeżeli ktoś ZNAJDZIE obrączkę. I choć zapewne dostałbym za nią dobrą cenę, uznałem, że nie warto z jej powodu rozwalać rodziny.

No więc wziąłem jajko i schowałem tam, gdzie nikt go nie odkryje, przynajmniej nie w najbliższym czasie. Ale jeśli kiedyś wyprztykam się z gotówki, wiem, że zawsze mogę zajrzeć do szafy. Między drugiego a trzeciego Łaskotka.

Poniedziałek

Magiczna kula numer 8 może i pomaga w dokonywaniu wyborów, jednak NAJWAŻNIEJSZYCH decyzji nikt za mnie raczej nie podejmie.

Podczas lunchu poszedłem więc na koniec kolejki i zapytałem Rowleya, czy chce się do MNIE przysiąść. A pięć sekund później było już jak za starych dobrych czasów.

Wiem, że według mamy przyjaciele przychodzą i odchodzą, a rodzina nigdy cię nie opuści, no i może coś w tym nawet jest.

Ale rodziny nie będzie przy tobie, kiedy Meckley Mingo z pasem w łapie napadnie cię po drodze do domu.

Rowley i ja na pewno jeszcze nieraz się pokłócimy i znowu przejdziemy przez cały ten cyrk. Na razie jest jednak w porządku.

Przynajmniej dopóki nie wypłynie KSIĘGA PAMIĄTKOWA. Ale NIĄ będziemy martwić się później.

Najpiękniejsza Para
Rowley & Abigail

PODZIĘKOWANIA

Dziękuję fantastycznym czytelnikom serii *Dziennik cwaniaczka* na całym świecie, bo to za ich sprawą pisanie tych książek jest taką frajdą. Wielkie dzięki za inspirację i motywację do działania.

Dziękuję najbliższym za nieustającą miłość i wsparcie. To prawdziwe błogosławieństwo, że mogę być częścią waszego życia.

Dziękuję wszystkim pracownikom wydawnictwa Abrams - za to, że zrobili ze mnie publikującego autora, i za wspaniałą opiekę nad książkami. Wyrazy wdzięczności dla mojego redaktora Charliego Kochmana za zaangażowanie i entuzjazm, a także dla Michaela Jacobsa - za to, że zaprowadził cwaniaczka na szczyty szczytów. Jak również dla Jasona Wellsa, Veroniki Wasserman, Scotta Auerbacha, Jen Graham, Chada W. Beckermana oraz Susan Van Metre - za ich pracę i przyjaźń.

Dziękuję osobom z portalu Poptropica, a zwłaszcza Jessowi Brallierowi - za wiarę w to, że dzieci zasługują na świetne historie.

Dziękuję mojej wspaniałej agentce Sylvie Rabineau za wszystkie rady, Bradowi Simpsonowi i Ninie Jacobson za to, że przenieśli Grega Heffleya na duży ekran, a także Rolandowi Poindexterowi, Ralphowi Millero i Vanessie Morrison za to, że tchnęli w cwaniaczka nowe życie.

I wreszcie dziękuję Shaelyn Germain oraz Annie Cesary - za współpracę w szalonym wirze niezliczonych wyzwań.

O AUTORZE

Jeff Kinney jest twórcą internetowych gier komputerowych oraz serii książek *Dziennik cwaniaczka*, numeru jeden na liście bestsellerów „New York Timesa". Czasopismo „Time" umieściło go wśród Stu Najbardziej Wpływowych Ludzi Świata. Jeff stworzył również portal www.poptropica.com. Dzieciństwo spędził w Waszyngtonie, a w 1995 roku przeniósł się do Nowej Anglii. Obecnie z żoną i dwoma synami mieszka na południu Massachusetts, gdzie otworzył księgarnię An Unlikely Story.

Wydawnictwo NASZA KSIĘGARNIA Sp. z o.o.
05-075 Warszawa-Wesoła, ul. Apteczna 6
e-mail: naszaksiegarnia@nk.com.pl
tel. 22 643 93 89

Sprzedaż wysyłkowa: tel. 22 641 56 32
e-mail: sklep.wysylkowy@nk.com.pl

www.nk.com.pl

Książkę wydrukowano na papierze
Ecco-Book Cream 70 g/m² wol. 2,0.

Redaktor prowadzący ***Joanna Wajs***
Opieka redakcyjna ***Magdalena Korobkiewicz***
Redakcja techniczna ***Joanna Piotrowska***
Korekta ***Joanna Kończak, Krystyna Lesińska***
Skład i łamanie ***Mariusz Brusiewicz***

ISBN 978-83-10-13660-2

PRINTED IN POLAND

Wydawnictwo „Nasza Księgarnia", Warszawa 2020 r.
Druk: POZKAL, Inowrocław